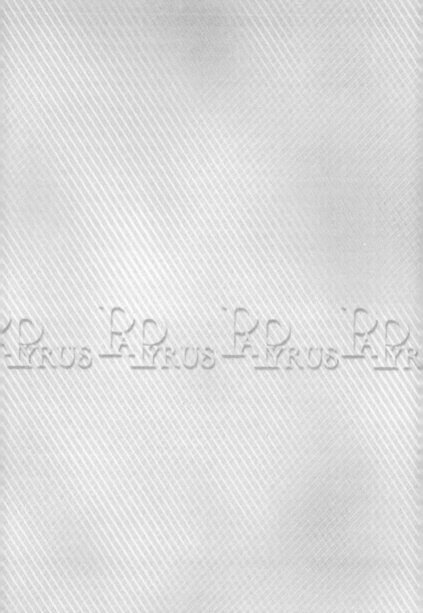

무림오적 武林五賊

무림오적 41

초판 1쇄 발행 2022년 4월 28일

지은이 ㅣ 백야
발행인 ㅣ 신현호
편집장 ㅣ 이호준
편집부 ㅣ 송영규 최종건 정재웅 양동훈 곽원호 조정범 강준석 최성화
편집디자인 ㅣ 한방울
영업 ㅣ 김민원

펴낸곳 ㅣ ㈜디앤씨미디어
등록 ㅣ 2002년 4월 25일 제20-260호
주소 ㅣ 서울시 구로구 디지털로 26길 111 JnK디지털타워 503호
전화 ㅣ 02-333-2513(대표)
팩시밀리 ㅣ 02-333-2514
E-mail ㅣ papy_dnc@dncmedia.co.kr
블로그 ㅣ blog.naver.com/gnpdl7

ISBN 978-89-267-1896-4 04810
ISBN 978-89-267-3458-2 (SET)

PAPYRUS ORIENTAL FANTASY

백야 신무협 장편소설

41

무림오적

武林五賊

PAPYRUS
파피루스

1장.
쾌재(快哉)

사양곤은 두뇌가 부족했다.
지혜가 모자라고, 계략에 둔감했다.
그는 타고난 전사이지, 뛰어난 군사가 아니었다.
무엇보다 작금의 상황을 해결하기 위해서는
투사(鬪士)보다 모략가(謀略家)가 더 필요했다.
그리고 천예무가 바로 그 모략가였다.

1. 역시 그의 힘을 빌려야 하나?

근 십여 년 만이었다, 이렇게 술에 취한 건.

원래 내공의 고수는 술에 취하지 않는다. 오장육부로 스며드는 주기(酒氣)를 나쁜 기운으로 인식하여 내공의 힘으로 기화(氣化)시켜 몸 밖으로 배출하기 때문이다.

그래서 굳이 술에 취하려면 아예 모든 내공을 단전 깊숙한 곳에 몰아넣고 밀폐한 후, 쉬지 않고 술을 입안으로 들이부어야만 했다.

초일방은 그렇게 다섯 항아리의 술을 단번에 들이마셨다. 그리고 다음 날 해가 중천에 떴을 때야 비로소 정신을 차렸다.

머리가 깨질 듯이 아팠고 눈앞이 핑핑 돌며 목이 타들어 가는 갈증을 느꼈지만, 초일방은 내공으로 그 취기를 몰아내지 않았다.

　이렇게 지독한 숙취는 사촌동생 초악이 죽은 후 처음이었다.

　당시 초일방은 무려 사흘 내내 스무 항아리의 술을 마시고 토하고 또 마셨다. 이러다가 죽을 것 같다는 생각이 떠오를 때까지 그는 쉬지 않고 술을 마셨다.

　확실히 그때에 비하자면 세 항아리의 술은 약과에 불과했다.

　"하지만 지랄 맞기는 매한가지로구나."

　초일방은 끄응 하며 몸을 일으켜 앉은 후 운기조식을 통해 숙취를 몰아냈다. 거짓말처럼 머릿속이 개운해지고 맑아졌다. 핑핑 돌던 어지럼도 갈증도 두통도 모두 사라졌다.

　운기조식을 마친 초일방은 자리끼로 준비된 매실차를 한 잔 따라 마셨다. 시원하면서 새콤달콤한 찻물에 한결 더 머릿속이 깨끗해졌다.

　"빌어먹을."

　초일방은 어울리지 않는 욕설을 내뱉으며 찻잔을 내려놓았다.

　"나름대로 많은 돈과 시간과 노력을 들여서 이 정도면

충분하지 않을까 생각했는데, 그깟 애송이 하나 상대로 그리 고전을 하다니……."

벌써 한 달 가까운 시간이 흘렀음에도 불구하고 초일방은 아직도 당시 장예추와 벌였던 일전(一戰)의 충격에서 벗어나지 못하고 있었다.

금해가의 절대 고수였던 초악이 죽은 이후, 초일방은 그의 몫까지 해내기 위해 수십만 금의 재력을 동원하여 무공을 수련했다.

내공을 증진시켜 주는 대환단, 백년설삼(白年雪蔘), 공청석유(空淸石乳) 등의 영약을 구해서 복용하는 한편, 가신들과 절정의 고수들을 초빙하여 무공을 익혔다.

그 부단한 노력의 결과로 초일방은 십여 년 전의 초악에 비해서 절대 뒤떨어지지 않는 무위를 지녔다고 인정받기에 이르렀다. 물론 초악 본인도 스스로의 무공에 자신감이 넘쳐흘렀다.

하지만 아무리 무공이 뛰어나고 무위가 높다고 한들, 정작 실전에서 그 능력을 제대로 발휘하는 건 또 다른 차원의 문제였다.

무엇보다 초일방의 실전 경험이 부족해도 너무나 부족했다. 그와 대련하고 비무했던 이들은 금해가의 가신들이고, 그가 초빙한 고수들이었다. 당연히 손속에 정(情)을 둘 수밖에 없었고, 보다 더 치열하고 살기 등등하게 싸울 수가 없었다.

그건 너무나도 당연한 일이었다. 자칫 잘못해서 초일방을 다치게 하거나 중상을 입히거나 혹은 죽이기라도 한다면, 바로 그 순간 무림의 공적(公敵)이 되는 것이다.

결국 초일방은 목숨을 걸고 싸워 보지 못했다. 상대가 목숨을 담보로 펼치는 공격을 마주해 본 적이 없었다. 양패구상(兩敗俱傷), 공멸(共滅)을 각오하고 덤벼드는 최후의 일격을 상대한 적이 없었다.

그래서였다. 결코 지면 안 되는, 질 리가 없는 상대를 두고 패전 직전까지 가게 된 것은.

그리고 뒤늦게 초일방은 자신의 부족한 부분에 대해서 절감하고 후회하게 되었다.

'우물 안의 개구리였다, 나는. 보다 더 넓은 세상으로 나가서 목숨을 걸고 싸워 봐야 했다. 집 앞마당에서 하는 백 일간의 수련보다 밖에서 싸운 단 한 번의 경험이 훨씬 더 나를 강하게 만든다. 그런 단순한 사실을 이제야 알게 되다니.'

그는 후회하고 또 후회했다.

그리고 그 통한의 후회와 뼈아픈 자책이, 한 달 가까이 지난 지금까지도 그를 괴롭히고 놓아주지 않고 있었다.

"어쨌든 이대로는 안 된다."

초일방은 다시 매실차 한 잔을 따라 마시며 생각을 전

환했다.

"서른도 채 되지 않은 듯한 애송이 하나를 상대로 고전했다. 무림오적이라면 그런 실력자가 최소한 다섯이 있다는 뜻이다. 그들 다섯과 마주치는 날에는……."

중얼거리는 초일방의 눈빛이 파르르 떨렸다. 그가 아니라 초악이 되살아오더라도, 결코 그 싸움에서 목숨을 건질 수 없을 것이다.

"역시 그의 힘을 빌려야 하나?"

초일방은 눈살을 찌푸리며 중얼거렸다.

영 내키지 않는 생각이었다. 그가 황궁 역모 사건에 연루되어 있을지 모른다는 의혹이 생긴 이후, 다른 사대가문의 가주는 그를 의식적으로 멀리했다.

당연한 일이었다. 아무리 무림의 지배자라 하더라도 감히 황실을 넘볼 수는 없었다. 그건 도가 지나친 일이고, 선을 넘어도 한참 넘은 일이다. 무림인은 결국 강호 무림에서 끝을 봐야 했다.

하지만 그는 도를 지나쳤고, 선을 넘었다. 그로 인해 하나밖에 없는 아들을 잃었음에도 불구하고, 들리는 소식으로는 여전히 정신을 차리지 못하고 있었다.

그의 여식인 천소유가 가문의 긍지와 체면을 위해 고군분투하고는 있지만 어디까지나 그녀는 계집에 불과했다. 건곤가라는 거대한 가문의 긍지와 자존심이 주는 무게와

중압감을 견뎌 내기에는 너무나도 가냘픈 어깨를 지니고 있었다.

'그러나 지금은 그밖에 기댈 사람이 없다는 게……'

초일방은 입맛을 다셨다.

무적가의 제갈보국이 죽었다. 그리고 한 달여 전, 철목 가에서 정극신이 죽었다는 서신을 보내왔다. 오대가문의 가주 중 남은 이는 초일방과 사양곤, 천예무뿐이었다.

천왕가의 사양곤은 예전부터 강했고, 지금은 훨씬 더 강해져서 어쩌면 제갈보국이나 정극신보다도 한 수 위의 무위를 지녔을지도 몰랐다.

이른바 당금 무림의 천하제일인을 꼽을 때, 그의 이름 이 최우선적으로 고려되는 건 너무나도 당연했다.

그러나 사양곤은 두뇌가 부족했다. 지혜가 모자라고, 계략에 둔감했다. 그는 타고난 전사이지, 뛰어난 군사가 아니었다.

무엇보다 작금의 상황을 해결하기 위해서는 투사(鬪士) 보다 모략가(謀略家)가 더 필요했다. 그리고 천예무가 바 로 그 모략가였다.

확실하지는 않지만—거의 확실하다고 생각은 하지만— 천예무는 황실을 전복하고 새로운 황제를 등극하기 위한 계획을 세운 인물이었다.

그 계획은 구 할 가까이 성공했으나, 사천에서 온 볼품

없는 전직 포두의 개입으로 인해 결국 실패하고 말았다.

만약 그때 그 전직 포두가 북경부에 모습을 드러내지 않았더라면, 아마도 지금쯤 대륙은 새로운 황제의 통치를 받고 있었을 것이다.

'과연 그 역모가 성공했다면…… 그는 무엇이 되어 있었을까? 아니, 애당초 무얼 위해서 역모를 계획했을까?'

문득 초일방은 궁금한 표정을 지었다.

알 도리가 없었다. 천예무의 속에 들어가 보지 않은 이상 절대 알 수 없는 일이었다.

"어쨌든 저 무림오적을 상대하기 위해서는 그의 지략과 계략이 필요하다. 이렇게 가문 하나하나 독단적으로 놈들을 상대하다가는 외려 우리가 괴멸당할 수도 있다."

오대가문은 절대자였다. 천하를 지배하고 무림에 군림하는 가문들이었다. 위명이 높고 명성이 자자하며 실력이 있는 만큼, 자존심도 세고 독불장군의 성격도 강했다. 물과 기름처럼 서로 얽혀들지 않았다.

게다가 문제는 또 있었다. 바로 태극천맹과의 알력이었다.

"하지만 지금은 대위기 상황이다. 어쩌면 새로운 정사 대전이 이미 발발한 것인지도 모른다. 이런 위급한 상황에 한가하게 태극천맹과 권력 다툼이나 하고 있을 수 없다. 모두 하나로 뭉쳐 무림오적을 상대해야 한다. 평소에는 다투기만 하는 개와 고양이도 늑대가 나타나면 함께 힘을 합쳐 싸우는 법이니까."

매실차 덕분이었을까. 그 어느 때보다 초일방의 뇌리가 맑고 투명했다. 상념은 거침없이 이어져 나갔다.

"우선 다른 가주들과 연합해야 한다. 천맹의 맹주에게도 연락을 취해 힘을 합칠 방도를 찾아야 한다. 더불어 무적가와 철목가에도 연락을 취해서 최대한 빨리 신임 가주를 선출하도록 만들어야 한다. 그리하여 다섯 가문의 신물(神物)을 모아 암계(暗界)를 여는 게다. 그곳에 우리 오대가문의 진정한 힘이 있으니까."

초일방은 앞으로의 계획에 대해서 중얼거리다가 문득 한숨을 내쉬며 고개를 설레설레 흔들었다.

"하나 과연 그가 우리와 함께하려 할까?"

그게 마지막 문제였다.

황실 역모 사건 이후, 다른 네 가문의 가주는 은근슬쩍 천예무를 멀리하고 따돌렸다.

그걸 모를 리가 없는 천예무였다. 어쨌든 다섯 가주 중 가장 심기가 깊고 계략이 뛰어나며, 모사(謀事)에 출중한 이가 바로 그였으니까.

그런데 갑자기 상황이 달라졌다면서 도움을 청한다면, 그 콧대 높고 자긍심 강하며 오만하기가 태산 같기만 한 천예무가 과연 흔쾌히 그 부탁을 들어줄까.

전혀 아닐 것이다. 외려 고민하지도 않고 축객령을 내릴 것이다.

"그를 끌어들일 방도만 찾는다면……."

초일방이 난감한 표정을 지으며 그렇게 중얼거릴 때였다.

외당 쪽이 갑자기 시끄러워졌다. 초일방은 가볍게 눈살을 찌푸리며 자리에서 일어났다.

밖으로 나온 그를 향해 마침 총관이 다급하게 달려왔다. 총관은 초일방을 보고는 깜짝 놀라며 허리를 숙였다.

"무슨 일이기에 저리 소란이더냐?"

초일방의 질문에 총관이 다급한 어조로 말했다.

"추격대가 귀환했습니다."

"호오."

초일방의 눈빛이 반짝였다.

"그래, 어찌 되었다고 하더냐? 놈들을 잡아 왔더냐?"

"그게……."

총관이 망설이다가 힘겹게 입을 열었다.

"실패했다고 합니다."

"뭐라?"

늘 인자하기만 하던 초일방의 두 눈이 성난 호랑이의 그것처럼 부릅떠졌다. 총관은 사시나무처럼 떨며 말을 이었다.

"놈들 중 한 명을 죽이는 성과를 올렸다고 합니다. 하지만 그 와중에 신안천리, 진악패도, 홍염철검 등 아군 사십여 명이 죽거나 중상을 입었다고 합니다."

"으음."

크게 분노한 와중에도 초일방은 저도 모르게 손익을 계산하고 있었다.

'무림오적 중 한 명을 살해한 건 매우 큰 성과다. 비록 신안천리 등 사십여 명이 죽거나 크게 다쳤다고 하더라도, 어차피 그들은 계속해서 충원할 수 있는 병력에 불과하니까. 그 괴물같이 강한 놈들 중 한 명의 목숨과 바꾼 거라면 확실히 이득인 셈이지.'

머리끝까지 솟구쳤던 화가 천천히 사그라졌다.

그때였다. 총관이 초일방의 눈치를 살피며 아주 힘겹게 입을 열었다.

"게, 게다가…… 천 선주까지 납치되었다고 합니다."

"뭐야?"

초일방의 눈이 다시 커졌다.

이번에는 분노보다 당황함이, 당황함보다 기쁨의 감정이 그의 뇌리에 가득 찼다.

'이건 외려 쾌재(快哉)를 부를 일이 아닌가?'

천소유는 천예무의 하나밖에 남지 않은 자식이었다. 그 소중한 핏줄이 무림오적에게 납치를 당했다는 건, 초일방이 조금 전까지 고민하고 있던 문제를 일시에 해결해 주는 묘책이 되는 셈이었다.

"그렇다면 그도 나설 자리가 마련된 게지."

초일방은 저도 모르게 중얼거렸다. 참패의 보고를 들고 와 부들부들 떨던 총관이 의아한 듯 입을 열었다.

"네? 그게 무슨……."

"아니다. 자네는 신경 쓸 것 없다."

초일방을 빠른 어조로 말했다.

"모든 상가(商家)와 상인들에게 놈들의 용모파기를 돌려서 그 행방을 뒤쫓게 하라. 그리고 추격대의 책임자를 본청으로 들라 하고. 아울러 오대가문의 긴급 회담을 준비하도록 하라."

마치 미리 생각해 두었다는 것처럼 초일방은 쉬지 않고 서너 개의 지시를 한꺼번에 내렸다.

총관은 허둥지둥 허리를 숙이며 대답했다.

"네, 곧바로 그리 처리하겠습니다."

2. 이모(姨母)들

"그런 풍파를 일으키면서 현재 북경부로 향하는 중입니다."

보고는 장황할 정도로 길었다.

당연했다. 겨우 한 달 사이에 손에 꼽을 수 없을 정도로 많은 사건 사고를 터뜨리고 있었으니까.

기나긴 보고가 끝난 후 십삼매는 차분하고 침착한 표정으로 말했다.

"올여름은 꽤 덥겠어요. 벌써부터 이리 후텁지근하니 말이죠."

그녀의 엉뚱한 말이 이해가 가지 않는다는 표정을 지을 법도 했지만, 보고를 끝낸 중년의 사내는 무표정한 얼굴로 고개를 숙이고 있었다.

십삼매의 말은 혼잣말처럼 계속 이어졌다.

"피서라도 가야 하지 않을까 싶네. 어떨까, 북해 쪽은 한 번도 가 보지 않았지만…… 한여름을 지내기에는 나쁘지 않을 것 같은데 말이지."

"알아보겠습니다."

가만히 듣고 있던 사내가 입을 열었다. 십삼매가 부드럽게 웃으며 말했다.

"그렇게 해요. 먼 길이니만큼 최소한으로 인원수를 줄이되, 가장 뛰어난 자들로 호위를 챙기도록 해요. 스무 명 내외면 적당하겠네요."

"그리하겠습니다. 유령교 허 노야나 서안에 계시는 노야들께는 따로 말씀드리지 않아도 되겠습니까?"

"눈치가 있고 머리가 돌아간다면 알아서들 하겠죠. 신경 쓰지 마세요."

"한 가지…… 어떻게 강만리 일행의 목적지가 북해인 줄 아셨습니까?"

"그야 그이의 아내가 북해빙궁 출신이니까요."

십삼매는 당연하다는 듯이 말했다.

"화평장 식구들이 대거 이주할 곳이라면 역시 그곳밖에 없는 거겠죠."

"북해빙궁과 싸우실 생각이라면 스무 명 정도의 인원으로 부족하지 않을까 싶습니다만."

"싸우기는요. 피서를 떠나는 거라니까요."

"알겠습니다. 그럼 그리 준비하겠습니다."

사내는 언제나처럼 십삼매의 곧고 가지런하며 우아하고 쭉 뻗은 발가락에 입을 맞춘 후 객청을 벗어났다.

십삼매에게 보고를 가지고 오는 사내는 모두 세 명이었다.

삼십 대 초반의 사내는 무영(武影)이라 했다. 지금 이 사십 대 중년 사내는 무군(武君)이라 했고, 오십 대 초로의 사내는 무옹(武翁)이라 불렸다.

그들은 성도부 일대를 중심으로 활동하면서 전국 각지의 황계 지부에서 날아든 급보들만 챙겨서 십삼매에게 보고를 올렸다.

평소의 그들은 평범한 생활을 해 나가는 평범한 사람들이었다. 제각기 가정을 꾸미고 있었고, 소속된 곳에서 충실하게 일을 하며 또 나름대로 인정을 받고 있었다.

지금 십삼매의 벌거벗은 발가락에 침까지 묻히면서 입을 맞춘 중년의 사내만 하더라도, 사천성에서 꽤 직위가 높은 품계를 가진 관리였다.

만약 강만리 일행이 며칠이라도 북경부에서 머물게 된다면, 십삼매에게는 그 중년 사내의 인맥이 큰 도움이 될 수 있었다.

십삼매는 문이 닫히는 소리를 들으며 가만히 눈을 감았다. 강만리가 왜 모든 식솔을 이끌고 성도부를 떠났는지에 대해서 생각하자 가슴이 아프고 아련해졌다.

'그렇게 내가 싫었던 걸까?'

그녀가 내쉬는 한숨이 물안개처럼 흐르고 있었다.

그때였다.

복도 안쪽에서 콩콩거리는 소리가 들려왔다. 그러고는 조심스레 십삼매를 향해 말하는 목소리가 이어졌다.

"영영 떠난 거래요?"

소홍이었다.

십삼매는 눈을 뜨고 고개를 돌렸다. 벽을 붙잡고 고개만 쏙 내민 채 소홍이 어색하게 웃고 있었다.

이미 훌쩍 커서 이제는 계집이 아니라 완연한 여인의

모습이었다. 가슴은 풍만했고 허리는 잘록했으며 엉덩이는 탱탱해서 마치 한 마리 사슴처럼 날렵해 보였다.

아닌 게 아니라 그녀 또래 친구들은 대부분 시집을 가서 아이까지 낳고 살았다. 조혼(早婚)이 유행인 시대에서 소홍은 자칫 노처녀가 되는 나이에 접어든 것이다.

십삼매가 부드럽게 미소를 지으며 손짓하자, 소홍은 쪼르르 달려와 그녀의 옆자리에 앉았다. 십삼매는 다정하게 소홍을 껴안으며 말했다.

"함께 피서나 가자꾸나."

소홍이 피잇 하고 입술을 내밀었다.

"영영 떠난 거냐고 물었는데 대답은 해 주시지 않고 피서는 무슨 피서예요, 갑자기."

"북해로 갈 생각인데. 한 번도 가 본 적이 없지? 바다보다 넓은 호수가 있다더구나."

"동정호보다도 더 크대요?"

"그렇다더라."

"음, 한 번 보고는 싶네요. 하지만 그 아이, 이제 영영 못 보나요?"

"그 아이?"

"아휴, 아호 말이에요. 강 아저씨들과 함께 성도부를 떠났잖아요? 이제 영영 오지 않을 거래요?"

"아하, 그러니까 지금 너는 강 아저씨나 다른 사람들이 궁금한 게 아니라 아호가 보고 싶었던 게로구나?"

"아뇨. 다 보고 싶죠. 그냥 아호가 먼저 떠올라서 그렇게 말한 것뿐이에요."

"그래? 에구에구, 울 애기. 이제 다 컸네."

"징그럽게 왜 뽀뽀를 하려고 해요?"

"엄마가 딸에게 뽀뽀도 못해?"

"누가 듣겠어요, 언니!"

"참, 알다가도 모를 아이라니까. 그렇게 언니라고 부르라고 할 때는 엄마라고 하더니, 이제 엄마보다 언니가 더 입에 밴 기야?"

"그야 그렇죠. 우리 둘이 밖에 나가 봐요. 누가 엄마하고 딸로 보나. 다 언니, 동생으로 본다고요."

"뭐 그건 당연하지. 나처럼 예쁘고 젊은 엄마는 없을 테니까."

"또, 또. 결국 언니 자랑으로 끝난다니까요. 그건 그렇고, 혹시 피서랑 아호…… 아니, 강 아저씨랑 무슨 연관이라도 있는 건가요? 아! 북해라고 했죠? 설마 예예 새언니의 고향인 북해빙궁을 말하는 건가요?"

소홍의 호들갑스러운 질문에 십삼매는 조용히 웃으며 고개를 끄덕였다. 소홍이 눈빛을 반짝이며 흥분하여 말했다.

"그럼 북해에서 그 아이를 다시 만나겠네요. 와! 한여름에도 눈이 녹지 않는다는 북해에서의 재회라니. 정말 낭만적이지 않아요?"

"그래, 아주 낭만적일 거야."

"그렇죠? 헤헤. 그나저나 그 아이, 지금 뭘 하고 있을까요? 나와 같은 생각을 하고 있으면 좋을 텐데."

소홍은 뺨까지 발갛게 물들이며 그렇게 중얼거렸다.

* * *

그 아이는 지금 초목아와 함께 나란히 앉아서 도란도란 대화를 나누고 있었다.

"날이 갑자기 더워졌네? 아직 오전인데도 말이야."

"며칠 있으면 칠월로 접어드니 더운 게 당연하지. 이미 여름이 시작된 거라고."

"그래도 정말 더워. 올여름은 엄청 더울 것 같아."

"다행이잖아? 그래도 우리는 북해로 가니 곧 눈을 볼 수가 있잖아."

"어? 우리 북해로 가는 길이었어?"

"응? 누나는 모르고 있었어?"

"그래. 나는 이곳 북경부가 목적지인 줄로만 알고 있었는데."

"아냐. 우리 목적지는 북해, 북해빙궁이야. 강 숙모의 고향이지."

"강 숙모라면 어제 그 귀엽고 예쁜 언니?"

"호호. 내가 아직 귀엽다는 소리를 듣네?"

갑작스러운 예예의 목소리에 초목아와 담호는 못된 짓을 하다가 들킨 아이들처럼 깜짝 놀라며 뒤를 돌아보았다. 예예가 나찰염요와 함께 복도 저편에서 객청으로 걸어 나오던 참이었다.

두 여인은 생글거리며 초목아와 담호의 맞은편 자리에 앉았다.

"그래. 이 언니가 옛날에는 정말 귀여웠단다."

예예의 말에 초목아는 어찌할 바를 몰라 하다가 자리에서 벌떡 일어나 고개를 숙이며 사과했다.

"죄송해요."

"아니, 죄송할 게 아니지. 내게는 큰 칭찬이었으니까. 그렇게 딱딱하게 굴지 말렴. 친언니처럼 대해도 괜찮아."

"친언니는 너무했네, 동생."

나찰염요도 웃으며 말했다.

"그럼 나중에 족보가 얽혀서 엉망이 될 수도 있으니 역시 숙모(叔母)나 이모(姨母)가 제일 낫겠지."

"그럴까요? 먼 훗날을 생각해서라도?"

담호는 두 여인이 웃으며 나누는 대화를 전혀 이해하지 못했다. 그러나 초목아는 눈치 빠르게 얼굴을 붉히며 고개를 외로 꼬고 있었다.

"그런데 말이지."

문득 나찰염요가 정색하며 초목아에게 말을 건넸다.

"어제 네 손을 잡고 처음으로 알게 되었단다. 네가 생각보다 훨씬 더 깊고 강한 내공을 가지고 있다는 걸 말이야."

일순 초목아의 표정이 달라졌다. 긴장한 듯, 혹은 초조하고 불안한 듯 눈동자마저 이리저리 움직였다.

나찰염요는 그런 초목아를 보고는 미소를 지으며 부드러운 어조로 말을 이었다.

"그렇게 두려워할 것 없단다. 말하기 싫으면 하지 않아도 된다. 동생 말마따나 너도 이제 우리 가족이니 네가 하고 싶은 건 하고, 하기 싫은 건 하지 않아도 돼."

예예가 거들고 나섰다.

"그래. 내가 친언니처럼 생각하라는 건 농담이 아니란다. 숙모나 이모라고 생각해도 좋아. 편하게 대하고 편하게 지내렴. 비록 우리 모두 피는 다르지만, 그렇게 형제자매가 되고 또 그렇게 가족이 되었으니까."

초목아는 입술을 잘강잘강 씹다가 조심스럽게 입을 열었다.

"사부께서 쓰러지고 나서, 그래도 아직 정신이 온전하실 때의 일이었어요. 그날따라 상태가 좋으셨는지 쾌활한 표정으로 저더러 일으켜 앉히라고 하셨죠. 그러고는 제게 운기조식을 하라고 하시더니 제 등에 대고 진기를 주입해 주기 시작하셨어요."

이야기하는 동안 당시의 광경이 눈에 선했는지, 초목아는 눈물을 글썽거렸다. 흘러나오는 목소리도 사뭇 떨렸다. 옷자락을 쥔 손에 힘이 꽉 들어가 있었다.

"그게 사부의 마지막 선물이라고 하셨어요. 그날 이후, 확실히 제 몸이 달라졌어요. 힘도 몇 배는 더 세지고…… 그래서 함정도 생각보다 쉽게 만들 수 있었어요."

"아, 그랬구나. 네 힘만으로는 쉽게 만들 수 없는 함정이라고 생각하긴 했었는데……."

나찰염요가 고개를 끄덕였다.

예예는 잠시 초목아를 바라보다가 자리에서 일어나 그녀의 옆자리로 돌아가 앉았다. 그러고는 부드럽고 따스한 손길로 그녀를 꼭 안으며 말했다.

"혼자서 정말 고생이 많았네. 수고했어."

그 말이 도화선이 된 모양이었다. 초목아는 예예의 품에 안겨 울음을 터뜨리더니 이내 대성통곡을 하기 시작했다.

담호는 어쩔 줄 몰라 했다. 예예는 초목아를 꼭 껴안은 채 그녀의 머리를 쓰다듬고 어깨를 다독이며 소곤거렸다.

"그래, 마음껏 울렴. 그렇게 울고 나면 한결 마음이 개운해질 거야."

예예의 말이 아니더라도 초목아는 한껏 울었다. 울다 지쳐서 더 이상 눈물이 흐르지 않을 때까지 그녀는 펑펑 울었다.

그렇게 한참을 울던 그녀는 곧 쑥스러운 표정을 지으며 예예의 품에서 벗어나 씩씩하게 눈물을 훔쳤다. 그리고 나찰염요를 쳐다보며 입을 열었다.

"한 가지 부탁이 있어요."

"말해 보렴."

"무공을 가르쳐 주세요."

"무공?"

나찰염요는 물론 예예와 담호의 눈도 휘둥그레졌다. 초목아는 당찬 표정을 지으며 말했다.

"저는 사부를 찾아와 힘들게 만들었던 자들의 얼굴을 똑똑하게 기억하고 있어요. 그들이 아니었다면 사부는 벌써 자리를 박차고 일어나셨을 거예요. 그자들에게 복수를 하고 싶어요. 그러니 제게 복수를 할 수 있는 무공을 가르쳐 주세요."

초목아는 자리에서 벌떡 일어나 절을 하며 말을 이었다.

"부탁드립니다, 어르신. 제발 제게 무공을 가르쳐 주세요."

나찰염요는 눈을 동그랗게 뜬 채 그녀를 내려다보다가 무심코 예예에게로 시선을 돌렸다. 예예가 웃는 낯으로 고개를 끄덕이며 말했다.

"이만한 제자는 어디에서도 쉽게 찾을 수가 없을 거예요, 언니."

"그럴까?"

나찰염요는 잠시 생각하다가 초목아를 보며 말했다.

"내 무공은 비인부전(非人不傳), 문외불출(門外不出)의 서약을 했기 때문에 함부로 전수해 줄 수 없단다."

아직까지 엎드려 있던 초목아의 어깨가 부르르 떨렸다. 나찰염요는 빙긋 미소를 지으며 말을 이었다.

"하지만 네가 두 번 다시 어르신이라는 말을 사용하지 않겠다면, 그리고 나를 큰이모로 생각하고 우리를 가족으로 여기겠다면 그렇게 하지. 가족에게는 무엇이든 아낌없이 줄 수 있으니까 말이야."

초목아가 고개를 들며 말했다.

"네, 큰이모!"

나찰염요가 웃으며 두 팔을 벌렸다.

"그럼 어서 큰이모에게 와서 안기렴."

초목아가 망설이다가 자리에서 일어나 그녀에게 안겼다. 나찰염요가 그녀를 다독거리는 모습을 보면서 예예가 웃으며 한마디 했다.

"그럼 나는 막내이모가 되겠네."

3. 홍(泓)

강만리의 눈시울이 붉게 달아올랐다.

그러니까 일 년 만의 재회였다.

하지만 일 년 전, 그 호탕하고 당당하며 위풍 넘치던 주완룡의 모습은 온데간데없이 사라져 없었다.

꽤 오랫동안 식음에 곤란을 겪었는지, 그는 볼품없이 말라 있었다. 두 뺨도 홀쭉해졌고 혈색도 좋지 않은 것이, 큰 병을 앓고 있는 중환자 같아 보였다.

그럼에도 불구하고 여전히 그의 눈빛은 살아 있었고, 호탕하고 담대한 성품도 변함이 없었다.

"허허, 그러다가 울겠구나."

주완룡이 궁녀들의 도움을 받아 애써 자리에 앉자, 강만리가 서둘러 말했다.

"그냥 누워 계십시오."

"무슨 소리. 먼 곳에서 사제(師弟)들이 찾아왔는데 어찌 누워서 인사를 받을 수 있겠느냐? 게다가 처음 보는 손님도 있는 자리인데 말이다. 두 분도 그리 있지 말고 어서들 자리에서 일어나시게."

하지만 만해거사와 구자육은 여전히 오체복지한 채 고개를 들지 못하고 있었다. 곁에 서 있던 강만리가 두어 번 더 발을 움직여 툭툭 건드린 후에야 비로소 그들은 조심스레 몸을 일으켰다.

"됐다. 너희들은 물러가도록 하라."

주완룡은 힘겹게 손을 저으며 궁녀들과 환관을 모두 물렸다. 나이 든 환관이 경계하는 눈빛으로 강만리를 힐끔거리며 입을 열었다.

"소신은 남아서 수발을 들도록 하겠습니다."

"아니네. 자네도 나가 보게."

"하지만……."

"허허, 괜찮네. 이들은 내 벗이자 동료이자 아우들일세. 그러니 걱정하지 말고 물러가 있게."

"그럼 문밖에 대령하고 있겠습니다. 무슨 일이 생기면 언제든지 불러 주십시오."

그건 주완룡에게 하는 말이 아니었다. 강만리와 그 일행에게 하는 경고의 말이었다. 바로 문 뒤에 있을 터이니 함부로 허튼 생각은 하지 말라는 경고.

나이 든 환관은 허리를 조아린 채 뒷걸음질을 치며 방을 나섰다.

이제 황태자 주완룡의 침소에는 주완룡과 강만리, 정유와 만해거사, 그리고 구자육과 사보 조자헌만이 남았다.

조자헌의 등골에 식은땀이 흐르고 있었다. 비록 말은 자신이 꺼냈지만, 이렇게나 빠르게 황태자를 알현하는 자리가 만들어질지는 전혀 몰랐던 것이다.

그가 강만리 일행이 궁문(宮門)에 당도했다는 소식을 듣고 부랴부랴 달려간 건 아침나절의 일이었다.

원래 계획이라면 강만리 일행을 내각으로 안내한 다음 새로운 수보 대학사와 인사를 나누게 한 후, 그곳에서 그간 말린 대화를 나누며 점심 식사를 하려 했다.

이후 황실에 사람을 보내어 제대로 된 규칙과 법도에 따라 알현을 예약하는 것까지가 오늘의 계획이었다.

황족들과의 알현 예약은 평소 상당히 밀려 있어서 최소한 닷새 이상 걸리기도 하거니와, 무엇보다 현 황태자의 건강 상태가 좋지 않아서 어쩌면 보류되거나 기각당할 수도 있었다.

그런데 놀랍게도, 조자헌이 강만리 일행을 내각으로 안내하는 도중 황실에서 일하는 환관이 달려와 이렇게 이야기를 전한 것이다.

"황태자께서 강만리라는 자의 그 일행을 만나고 싶어 하십니다. 바로 동궁(東宮)으로 모시라는 전갈입니다."

조자헌은 놀라고 당황했다.

강만리 일행이 황궁에 당도한 건 불과 일각여 전, 그런데 어떻게 황태자가 그들의 소식을 벌써 전해 듣고 이렇게 사람을 보낸 것일까.

　그 두근거림은 조자헌이 이렇게 동궁 황태자의 침소에 서 있는 지금까지도 가라앉지 않았다. 조자헌은 문득 차라리 자신도 환관들과 시녀들과 함께 이 자리를 벗어났어야 하는 건데, 하는 생각을 하고 말았다.

　한편 왠지 분위기가 무겁고 어둡다고 생각해서였을까, 문득 정유가 웃는 낯으로 입을 열었다.

　"혹시 저도 기억하십니까, 대사형?"

　주완룡이 피식 웃으며 말했다.

　"대사형의 기억력이 천하제일이라는 걸 잊었나 보구나, 정 사제. 내가 어찌 그대를 잊겠느냐?"

　"역시 대사형이십니다. 정말 뵙고 싶었습니다."

　구자육과 조자헌은 가만히 그들의 대화를 듣다가 깜짝 놀라고 말았다.

　'황태자가 대사형이었단 말인가?'

　두 사람은 거의 동시에 속으로 그렇게 내뱉었다.

　'설마 황태자와 저 사내들은 한 스승 밑에서 수학한 동문(同門)이었던 건가? 하기야 그렇지 않고서 어찌 저렇게 감히 황태자 앞에 우뚝 선 채 태평하게 농을 나눌 수 있겠어.'

이건 구자육의 생각이었고.

'그래, 사형제 간이니까 따로 연락을 취했던 게로군. 그렇지 않고서야 아침의 일은 도저히 설명이 안 되지. 그나저나 언제 태자께서 저들과 동문 수학을 하셨을까?'

이건 조자헌의 의문이었다.

그렇게 구자육과 조자헌의 오해가 깊어 갈 즈음, 강만리가 불쑥 본론을 꺼내 들었다.

"어의들은 뭐라고 합니까?"

일순 주완룡이 길게 한숨을 내쉬며 고개를 설레설레 흔들었다.

"다들 곤란한 표정을 지은 채 그저 영약을 먹고 푹 쉬면 회복할 거라고들 하더군."

이번에는 만해거사가 물었다.

"몸의 증상이 어떠하신지요."

"입안에 염증이 심하고, 손발이 저린다네. 하지만 그런 육체적인 문제보다는 정신적인 문제가 더 큰 것 같네."

"정신적인 문제라면……."

"쉽게 화가 나고 흥분하며 짜증이 일더군. 게다가 불안하고 초조해서 괜히 온몸에 식은땀이 흐르기도 하고……."

"으음?"

저도 모르게 구자육이 중얼거렸다. 일순 주완룡을 비롯한 침소의 모든 이가 그를 돌아보았다. 강만리가 다급한 어조로 물었다.

"무슨 증상인 줄 아오, 구 당주?"

"그게 그러니까⋯⋯."

구자육은 당황해하면서도 주완룡을 향해 조심스레 입을 열었다.

"그런 증세가 언제부터 시작되었습니까, 전하?"

"글쎄, 보름은 넘었고 한 달은 되지 않은 것 같은데."

"죄송하고 무례한 부탁입니다만 태자 전하께 가까이 다가가서 진맥을 해 봐도 괜찮겠습니까?"

조자헌이 깜짝 놀라며 저도 모르게 소리쳤다.

"무슨 소리! 절대 그건 안⋯⋯."

"아니, 괜찮네."

주완룡이 생기 없는 미소를 지으며 말했다.

"내 아우들이 데리고 온 사람들이네. 내게 해가 될 행동을 할 리가 없지."

주완룡의 말에 강만리가 한 걸음 나서며 말했다.

"이 구 당주는 비록 젊지만 약왕문의 후예라는 소리를 들을 정도로 뛰어난 의술을 지니고 있습니다. 그리고 이쪽 만해거사 역시 독응의선이라 하려 당대 최고의 의생 중 한 분이셨습니다. 이들 두 사람이라면 전하께서 앓고 있는 병이 무엇인지 알아낼 수 있을 거라 생각합니다."

"그래. 자네의 말이니 믿어 보겠네. 하지만⋯⋯."

주완룡이 뜸을 들이자 강만리는 저도 모르게 잔뜩 긴장해야만 했다.

　"우리끼리 있을 땐 전하라는 소리 하지 말라고 하지 않았더냐?"

　휴우.

　'이 와중에도 그런 농을 하시다니.'

　강만리는 고개를 숙이며 말했다.

　"알겠습니다, 대사형."

　주완룡은 유쾌하게 웃으며 손을 내밀었다.

　"와서 맥을 짚어 보거라."

　"네, 전하."

　구자육과 만해거사가 앞으로 나아가 주완룡의 양쪽 손목 하나씩을 잡고 진맥을 시작했다.

　그들은 곧 손을 바꿔 진맥했으며, 또한 주완룡의 눈을 뒤집어 보고 입안을 살피기도 하고 손과 발을 만지작거리며 그 반응을 확인하기도 했다.

　조자헌은 벌벌 떨면서 그 광경을 지켜보다가 차마 더는 못 보겠다는 듯이 고개를 숙였다.

　'자칫 황태자의 존체(尊體)에 조금이라도 문제가 생긴다면 그건 이자들을 끌고 온 내 책임이 된다.'

　조자헌은 강만리를 믿었다. 하지만 강만리가 데리고 온 자들은 믿지 않았다. 아니, 믿을 수가 없었다.

단 한 번도 본 적도 겪어 본 적도 없는 자들이 아니던 가. 뭘 가지고 믿을 수 있단 말인가.

그렇게 조자헌이 불안하여 가슴만 졸이고 있는 동안에 도 두 노소(老少) 의생들은 한 점 흐트러짐 없이 주완룡 을 진찰했다. 그들의 표정은 점점 굳어졌으며 얼굴에서 는 핏기가 사라지고 있었다.

이윽고 두 사람은 서로의 눈빛을 교환하고 약속이라도 한 듯 고개를 끄덕였다. 그러고는 주완룡에 맥에서 손을 떼고 한 걸음 뒤로 물러났다.

주완룡이 웃는 낯으로 물었다.

"그래, 무슨 죽을병이더냐?"

만해거사가 침중한 목소리로 대답했다.

"입안에 염증이 심하고 손과 눈꺼풀, 입술과 혀, 그리고 사지(四肢)에 진전(震顫), 즉 떨림이 심합니다. 거기에 과 도한 신경질과 정서가 불안한 증세까지 보인다면……."

"보인다면?"

살짝 초조한 빛으로 주완룡이 물었지만 만해거사는 쉽 게 대답하지 않았다. 그는 잠시 생각을 집중하다가 외려 주완룡에게 질문했다.

"한 달 전 즈음부터 지금까지, 그 이전에는 먹지 않던 걸 꾸준히 복용하고 계시는 게 있으신지요?"

"음? 특별한 건 없는데? 왜 그런 걸 묻지?"

"증상을 보인 게 보름 전 즈음이라 하셨으니 아무래도 한달 전부터 드신 모양입니다."

"뭘 말인가?"

"차(姹)나 그와 비슷한 것 말입니다. 지금 전하께서 보여 주시는 증상은 만성 홍(汞) 중독 증상인 것 같습니다."

"홍 중독?"

주완룡은 고개를 갸웃거렸다. 뒷전에서 가만히 듣고 있던 강만리와 정유, 그리고 조자헌도 의아한 표정을 지었다.

"홍이라면 도사들이 만든다는 불로장생(不老長生)의 영약이 아니더냐?"

주완룡이 계속해서 물었다.

"나는 진시황과는 달리 불로장생에 미련이 없어서 전혀 손을 데지 않았거늘, 어찌 그 홍의 중독 증상을 보인다고 하더냐?"

홍(汞)은 차(姹), 곧 수은(水銀)을 기반으로 하여 도사들이 제조한 영단(靈丹)을 가리켰다.

과거로부터 이 나라 사람들은 수은을 신비의 영약으로 여기고 약재(藥材)로 사용하는 경우가 많았다. 특히 도가(道家)의 도사들이 주로 수은을 사용했으며, 도가에 심취한 역대 황제들 몇몇은 그 수은으로 만든 홍을 복용하다가 결국 목숨을 잃고 말았다.

그러나 수은이 극독에 해당한다는 사실을 모르던 당대

의생들은 황제의 사인(死因)이 무엇인지 전혀 알 리가 없었다.

"차는 불로장생의 신비한 영약이 아니라 극독에 해당하는 재료입니다."

이번에는 구자육이 입을 열었다.

"그건 심장에 무리를 주고 폐에 영향을 끼치며, 정신 이상을 일으키게 하는 독성을 지니고 있습니다. 아무래도 전하께서는 전하도 알지 못하는 사이에 그 차를 한 달 가까이 조금씩, 계속해서 드시고 계셨던 것 같습니다."

"설마……."

듣고 있던 강만리가 믿지 못하겠다는 듯한 표정을 지으며 입을 열었다.

"감히 누가 우리 대사형을 중독시켜 시해(弑害)하려 든단 뜻인가?"

"이런!"

조자헌이 깜짝 놀란 나머지, 전하의 앞이라는 것도 잊은 채 저도 모르게 큰소리로 부르짖었다. 다른 이들 또한 새하얗게 낯이 변했다.

누군가, 이 황궁 내에서, 황태자 주완룡을 독으로 암살하고자 하는 것이다.

2장.
충복(忠僕)

황태자 주완롱을 암살하고자 하는 이가 어디 동궁에만 있을까.
서궁에도 있을 것이고 궁내(宮內)는 물론 궁외(宮外)에도 존재할 것이다.
그런 의미에서 보자면
황궁연쇄살인 사건 당시보다 몇 배는 더 어려운 일이 될지도 몰랐다.

1. 중독(中毒)

역대 황제 중 도교(道敎)에 심취한 이는 적지 않았다. 그중에서도 몇몇 유명한 황제들은 심취를 넘어서 스스로 신선이라 칭하거나 혹은 신선이 되고자 했다.

황제들은 신선이 되기 위해서 불로불사의 비약을 복용했는데, 도사들은 궁녀의 월경 혈(血)과 새벽이슬, 수은 등을 재료로 사용하여 그 비약을 만들어 감로단(甘露丹)이나 영생단(永生丹)이라는 이름으로 바쳤다.

감로(甘露)는 천축어로 '죽지 않는다'는 말에서 비롯, 곧 불사(不死)와 신(神)을 의미하기까지 했다.

과거 한무제(漢武帝)는 선인장에 고이는 감로[아침이

슬]를 옥(玉)에 섞어서 복용하여 선인이 되고자 하기도 했다.

하지만 그 어떤 황제도 신선이 되거나 불로불사의 성취를 얻지 못했다. 수은이나 납, 옥이나 은 등에 중독되어 비참한 몰골로 죽거나 혹은 그렇지 않더라도 심장마비 등 제 명에 죽지 못한 이들이 대부분이었다.

물론 주완룡의 경우는 달랐다.

그는 불로불사를 원하지도, 신선이 되고자 하지도 않았다. 누군가의 사주에 의해 자신도 모르는 사이에 미미한 양의 수은을 꾸준히 복용하였고, 그 결과 지금 그는 만성 중독 증상을 겪게 되었다.

동궁 깊숙한 내전 침소에 모인 사람들은 모두 안색이 새파랗게 질린 채 입을 다물었다.

황태자 몰래 수은을 먹인다는 건 곧 역모와 다름이 없는 일이었다. 구족이 멸하는 중죄였다.

'이것 참. 일전에는 삼황자(三皇子)가 역모를 일으키더니 이번에는 황태자를 음독(飮毒)하게 하여 죽이려 들다니…… 황실 생황도 생각보다 평탄하지가 않나 보구나.'

강만리는 고개를 숙인 채 내심 그렇게 중얼거렸다.

사실 황실의 세계는 일반 백성들의 세상이나 강호 무림보다 훨씬 더 독랄한 음모와 사악한 악의가 판치는 곳이었다.

황제가 되지 못한 자들이 황제가 되기 위하여, 비빈(妃嬪)이 되지 못한 이들이 비빈이 되기 위하여, 고위 관직에 오르지 못한 자들이 그 자리를 차지하기 위하여 하루에서 수십, 수백 건의 음모와 계략은 물론 온갖 합종연횡(合從連橫)과 배신이 판을 치는 곳이 황궁이었으며 황실이었다.

그래서 인맥이 그 어느 곳보다 더 중한 곳이 황궁이었으며, 반면 제대로 줄을 서지 못하는 바람에 졸지에 실각하고 하룻밤 새에 삭관탈직(削官脫職)이 또 황궁이기도 했다.

만해거사와 구자육으로부터 수은에 중독되었다는 진단을 받은 주완룡은 의외로 차분한 얼굴이었다. 내적으로는 큰 충격을 받았을지는 모르겠지만, 어쨌든 겉모습은 태평함을 유지한 채 천천히 입을 열었다.

"그럼 이제 어찌해야 하느냐?"

만해거사가 기다렸다는 듯이 대답했다.

"몸에 쌓인 차를 배출하는 게 급선무입니다. 또한 중독으로 생긴 증상들에 대한 보조적인 치료도 함께해 나가야 합니다. 그리고 아프지 않고 덜 저리도록 약을 복용하는 한편, 신경질을 내지 않고 화를 가라앉히며 마음을 평온하게 다스리도록 꾸준히 운기조식을 해야 합니다."

"허어, 해야 할 게 상당히 많구려. 그럼 그렇게만 하면

나을 수 있는 것이오?"

"천만다행으로 전하께 몰래 음독하게 만든 자는 아마
도 그 증상을 어의들이 눈치채지 못하도록, 매우 소량의
차를 꾸준히 복용케 한 것 같습니다. 더는 음독하지 않는
다는 전제하에서 한 달 정도 치료를 하면 예전의 건강을
되찾으실 수 있을 것 같습니다."

"천만다행이로구나."

"네, 천만다행입니다."

만해거사의 말이 끝나자 조자헌이 충격과 분노로 부들
부들 떨면서 입을 열었다.

"당장 금의위와 동창을 불러 흉수를 잡고 구족을 멸해
야 합니다."

"그럴 필요가 있겠나?"

"네?"

주완룡의 말에 조자헌의 눈이 휘둥그레졌다. 그는 더듬
거리면서 입을 열었다.

"아, 아니…… 전하를 중독케 만든 자를 왜……."

"그게 아니라 굳이 금의위와 동창을 부를 필요가 있겠
냐는 걸세. 여기에 그들보다 몇 배는 더 뛰어난 자가 있
는데 말이지."

"아……."

주완룡은 미소를 머금으며 강만리를 돌아보았다.

"바쁜가?"

강만리는 속으로 한숨을 내쉬었다.

물론 바빴다.

금해가와 오대가문의 손길이 북경부까지 이르기 전에, 금적산의 새로운 추격자들이 자신의 뒤를 쫓아오기 전에 이곳을 떠나 북해로 들어서야 했다.

하지만 주완룡을 이렇게 만든 자를 좌시한 채로 북경부를 떠날 수는 없었다. 또한 주완룡의 완치를 보지도 않고 떠나는 것도 말이 안 되는 일이었다.

"바쁩니다."

강만리는 솔직하게 대답했다.

"그러나 대사형을 놔두고 가야만 할 정도로 바쁘지는 않습니다."

"흠, 바쁘면 그냥 가도 되네. 서운해하지 않을 테니까."

"진심입니까?"

"물론 농담일세. 가지 말게."

"네, 가지 않겠습니다."

"여기 남아서 날 이리 만든 자와 그 배후를 찾아내게."

"그리하겠습니다."

"소문내지 않고 빠르고 확실하게."

"그리하겠습니다."

"날 완쾌시켜 주게."

"그리하겠습니다."

"좋아. 그럼 자네와 여기 있는 자네의 동료들이 황궁에서 마음껏 활동할 수 있도록 직책을 마련해 주지."

"그 전에……."

"그 전에?"

"실은 제 식구들이 모두 이곳 북경부에 와 있습니다."

강만리의 말에 주완룡이 처음으로 놀란 표정을 지었다.

"식구들? 화평장 사람들 말인가?"

"네."

"제수씨와 조카도?"

"네. 다른 형제들과 부인들, 그리고 자식들과 화평장 식솔 모두 이곳 북경부에 와 있습니다."

"흠."

주완룡은 깡마른 손으로 턱수염을 쓰다듬으며 생각하다가 입을 열었다.

"북해로 이주하는 겐가, 화평장 전체가?"

강만리는 고개를 조아리며 말했다.

"그렇습니다."

"아주 큰 결단을 내린 모양이로군. 설마 무림 전체와 싸울 작정인 건 아니겠지?"

"대충 그것과 비슷합니다."

"그럼 누군가 지금 자네들의 뒤를 추격하는 중이겠고?"

"그것도 맞습니다. 역시 전하…… 아니, 대사형의 혜안(慧眼)을 따를 수가 없군요."

"그렇단 말이지."

주완룡은 크게 고개를 두어 번 끄덕인 후 조자헌을 돌아보며 입을 열었다.

"동궁 근처에 숙소 하나를 만들 수 있겠나, 당장?"

"숙소 말씀이십니까?"

조자헌은 주완룡의 속내를 알아차리고는 당황해하며 말했다.

"일반 백성의 무리를 궁내(宮內), 그것도 구중심처인 이곳에서 머물게 하는 건 황실 법도에 있지 않은……."

"그건 내가 알아서 함세."

주완룡은 귀찮다는 듯이 조자헌의 말을 잘랐다.

"예전에 없었다 해서 앞으로도 없다는 건 더는 변화하지 않고 발전하지 않겠다는 뜻과 다를 바가 없네. 모든 건 처음이 있는 법, 이참에 백성들도 궁내에 기거하면서 궁의 생활을 맛볼 수 있도록 하는 것도 나쁘지 않을 것 같네."

가만히 듣고 있던 강만리는 주완룡의 제의를 거절하려다가 마음을 바꾸었다.

'물론 계속해서 채석장에 머물고 있는 것도 나쁘지 않지만, 아무래도 태극감찰밀의 안가라는 건 확실히 양날

의 검과 같은 거니까.'

강만리는 지금 오대가문뿐만 아니라 원로회를 위시한 태극천맹에게도 쫓기는 상황이었다. 그런 의미에서 보자면 화평장 식구들이 태극감찰밀의 안가에 머무는 건 호랑이 입속에 들어가 있는 것과 다름이 없었다.

'이곳 황궁도 마음이 편한 건 아니지만 역시 내가 곁에 있을 수 있다는 게 제일 크다.'

그렇게 생각한 강만리는 주완룡의 의견에 토를 달지 않았다. 하지만 조자헌은 그렇지 않았다.

"전하의 마음은 이해합니다만 당장 궁내의 율사(律士)들부터 반대하고 나설 겁니다. 아울러 동창이나 금의위는 물론 폐하께서도……."

주완룡이 다시 손을 내저으며 그의 말을 잘랐다.

"폐하께는 내가 이야기함세. 자네는 황법(皇法)을 살펴서 반드시 화평장 사람들이 이곳에 머물 근거를 찾아내게."

주완룡이 그렇게까지 말하자 조자헌은 결국 고개를 숙이고 그의 지시를 따라야만 했다.

"알겠습니다. 숙소를 마련하고 황법을 살펴보겠습니다. 그런데 화평장 식구들이라는 게 대충 몇 명이나 되오, 강 대협? 이삼십 명 정도라면 한 채로 충분……."

조자헌의 물음에 강만리는 머쓱한 표정을 지으며 대꾸했다.

"칠팔십 명 정도 됩니다."

조자헌의 입이 떡 벌어졌다. 강만리가 빠르게 말을 이었다.

"하지만 대부분의 식솔들은 남겨 두고 가족들만 옮기면 되니 스무 명 정도 될 겁니다."

"그 정도면 괜찮겠소이다."

조자헌이 안도의 한숨을 내쉬며 말했다.

"그럼 소신은 별채를 구하고 황법을 살피러 이만 나가 보겠습니다."

"그렇게 하게."

주완룡의 허락을 받은 조자헌이 자리를 떴다. 일순 주완룡이 비틀거리며 쓰러질 뻔했다. 그때까지 허리를 곧추세우고 똑바른 자세를 유지했던 주완룡의 긴장감이 삽시간에 흩어진 까닭이었다.

"전하!"

만해거사와 구자육이 깜짝 놀라 그를 부축해 자리에 눕혔다. 주완룡은 피곤한 기색이 역력한 목소리로 말했다.

"미안하네."

강만리가 서둘러 말했다.

"아닙니다. 외려 대사형의 안정을 빼앗고 있던 우리가 잘못한 거죠. 우리도 얼른 나가 보겠습니다."

"아니, 아직 내가 해야 할 일들이 남았네."

말과는 달리 주완룡은 머리가 아픈 듯 결국 눈을 감았다. 그때 만해거사가 그의 맥문을 잡고 진기를 불어넣으며 안정을 취할 수 있도록 도와주었다.

구자육은 다급하게 품을 뒤져 조그만 약상자를 꺼내 들었다. 약상자에서는 십여 개의 서로 다른 종류의 환단들이 조그만 기름 주머니에 나뉘어 담겨 있었다.

구자육은 빠른 손놀림으로 환단 몇 알을 꺼내 기름종이 위에 놓고 비벼서 잘게 부순 다음, 주완룡의 침상 머리맡에 놓여 있는 찻잔에 그 가루약을 부었다.

곧이어 그는 찻주전자를 들고 냄새를 맡고 손바닥에 부어 살짝 맛을 보았다. 구자육은 신중한 표정을 지으며 깊게 음미하고는 고개를 끄덕이며 만해거사에게 말했다.

"찻물은 괜찮은 것 같습니다만 혹시 모르니 거사께서도 맛을 봐 주심이 어떨까 싶습니다."

만해거사는 고개를 저었다.

"괜찮네. 자네가 맞다고 하면 맞는 거겠지."

구자육은 머뭇거리다가 찻잔에 찻물을 따라 가루약을 녹인 다음, 공손하게 두 손으로 주완룡에게 바치며 말했다.

"심신을 맑게 하고 안정케 하는 효과가 있는 약입니다. 또한 신진대사를 원활하게 하여 몸속에 쌓인 불순물들을 빠르게 밖으로 내보내는 효과도 있습니다."

"고맙네."

주완룡은 살짝 몸을 일으키려다가 눈살을 찌푸렸다. 강만리가 황급히 다가와 그를 부축했고, 구자육이 조심스러운 손길로 그에게 찻물을 먹였다.

주완룡이 다시 누우며 말했다.

"고맙군. 한결 좋아진 것 같네."

구자육이 어색하게 웃었다.

"그렇게까지 약효가 빨리 돌지는 않습니다만……."

주완룡이 미소를 지으며 말했다.

"거사의 진기 덕분이라고 말하는 걸세."

구자육의 얼굴이 살짝 붉게 달아올랐다.

2. 황궁은 처음이지?

주자헌은 그날 하루 내내 정신없이 바쁘게 움직여야만 했다. 우선 당장 강만리들이 머물 수 있는 별채를 구해야 했다.

동궁은 황궁의 구중심처, 내전 깊숙한 곳에 위치해 있었다. 그곳에 일반 백성들을 들인다는 건 사실 말이 안 되는 일이기는 했다.

그러나 이미 주완룡으로부터 지엄한 명령을 받은 터,

주자헌은 황태자를 모시는 환관의 우두머리 태감(太監)과 역시 황태자를 곁에서 모시는 시관(試官)인 태자사인(太子舍人)과 함께 동궁 구석진 곳의 별채 하나를 찾았다.

태감과 태자사인 모두 이건 황궁의 법도에도 없고 옛 기록에도 없는 일이라고 투덜거렸지만, 그들 또한 주완룡으로부터 명령을 받은 바 어쩔 도리 없이 조자헌을 도울 수밖에 없었다.

그렇게 그들은 원래 궁녀들의 거처로 만들어졌으나 현재는 창고로 사용하던 별채를 찾아서, 사람들이 기거할 수 있도록 청소하도록 지시했다.

또 만해거사와 구자육이 약을 조제하고 처방할 수 있도록 별채 일부를 개조하여 새롭게 약당(藥堂)을 꾸몄다.

주자헌이 해야 할 일은 그게 전부가 아니라 시작에 불과했다. 그는 채석장에 있다는 강만리 식구들을 부르기 위해 몇몇 시위(侍衛)들에게 지시를 내렸다. 그 일에는 정유가 합류했고, 정유는 시위들과 함께 곧장 황궁을 떠나 채석장으로 달려갔다.

주자헌은 다시 내각으로 돌아와 강만리 일행이 황궁에 머물 수 있는 권한을 주기 위해 태자밀위(太子密衛)의 증패를 만들기 시작했다.

태자밀위는 말 그대로 태자의 곁에 머물며 그를 호위하는 무사들을 뜻했다.

그러는 와중에도 조자헌은 황궁의 옛 기록을 담은 문헌들을 일일이 찾아서 과거 지금과 같은 일이 있었는지 확인하는 작업도 게을리하지 않았다.

한편 채석장에 머물고 있던 화평장 식구들은 느닷없는 입궁 소식에 다들 놀라고 당황하고 흥분했다. 그들은 서둘러 옷을 갈아입고 중요한 물건들을 챙기는 등 입궁 채비를 하기 시작했다.

하지만 헌원 노대와 설벽린은 채석장에 머물겠다며 입궁을 거절했다. 정유가 눈살을 찌푸리며 설득했으나 그들은 완강하게 고집을 피웠다. 이곳에서 해야 할 일들이 있다는 것이었다.

"그게 뭡니까, 도대체?"

정유가 헌원 노대를 향해 따지듯 묻자 헌원 노대는 아리송한 표정을 지으며 어깨를 으쓱거렸다.

"나중에 보면 알게 될 것이네."

정유는 설벽린을 돌아보았고, 설벽린 또한 어깨를 으쓱거리며 말했다.

"나중에 보면 알게 될 거야."

정유는 한숨을 내쉬며 고개를 설레설레 흔들었다.

"강 형님이 뭐라 하셔도 책임지지 못합니다."

결국 그는 그 한마디를 남겨 두고 밖으로 나와야 했다.

채석장에는 북해 빙궁의 무사들을 비롯한 식솔들이 남

앉다. 물론 혼수상태의 초유동이나 일노도 그곳에 남아야만 했다.

반면 담호와 초목아를 비롯한 모든 식구들은 황궁에서 마련한 마차를 타고 그곳을 떠났다.

황궁에는 입궁할 수 있는 문이 십여 개나 있었다. 그들 문마다 서로 다른 부류의 사람들이 오갈 수가 있었는데, 허드렛일을 하는 자들이나 일용품을 대주는 상인들이나 하인들은 저마다 다른 문을 통하여 입궁해야 했다.

화평장 식구들을 태운 마차는 정문이 아닌, 그중 한 문을 통해 황궁으로 들어섰다. 입궁하자마자 마차에서 내린 그들은 시위들의 안내를 받으며 동궁으로 향했다.

무려 이십 명 가까운 일반 백성들이 동궁으로 들어서자 궁내를 오가던 환관과 궁녀들의 눈이 모두 그들에게도 쏠렸다. 담호는 아름다운 궁녀들이 자신을 바라보자 얼굴을 새빨갛게 물들인 채 어쩔 줄 몰라 했다.

태화전을 중심으로 해서 자금성 동쪽, 수십 채의 크고 작은 전각군(殿閣群)을 총칭하여 동궁이라 했다.

자금성의 모든 건물 지붕은 황금색으로 치장되어 있었는데, 이곳 동궁의 지붕은 청색(靑色)으로 칠해져 있었다. 청색은 곧 생명을 의미, 동궁에 머무는 황자(皇子)들이 건강하게 자라라는 의미인 셈이었다.

화평장 식구들은 동궁 외관의 구석진 별채로 안내받았다.

그곳에는 이미 구자육과 만해거사가 머물러 있었다. 궁녀들과 환관들과 함께 한참 약당을 꾸미고 있던 그들은 화평장 식구들을 보고는 환하게 웃으며 반겼다.

"어서들 오시게. 황궁은 처음이지?"

만해거사의 말에 나찰염요가 웃으며 말을 받았다.

"그러는 만해 사부도 처음이잖아요?"

"허험, 그건 그렇지. 자, 다들 방을 잡고 짐들을 풀게나."

화평장 식구들은 다들 주변을 두리번거리며 별채 안으로 들어갔다.

"그이는요?"

문득 예예가 만해거사를 향해 물었다. 어디에고 강만리의 모습이 보이지 않았던 것이다.

만해거사는 목소리를 낮추며 말했다.

"지금 태자비(太子妃)를 만나는 중이네."

예예의 눈이 휘둥그레졌다.

"태자비요?"

＊　＊　＊

주완룡의 거처를 나서는 강만리 일행에게 쪼르르 한 무리의 여인들이 다가왔다.

그녀들의 궁복(宮服)을 보자니 평범한 궁녀는 아닌 것

같았으며, 또 강만리 일행을 안내하던 어린 환관이 황급히 고개를 숙이며 인사를 하는 걸로 보아 절대 만만한 신분의 여인들이 아닌 듯했다.

강만리는 무슨 영문인지 모른 채 두 손을 모으며 허리를 숙였다. 궁녀들이 다가오더니 그중 선두에 선 여인이 날카롭고 매서운 어조로 딱딱하게 물었다.

"누가 강만리 대협이시오?"

강만리는 공손하게 대답했다.

"제가 사천 성도부의 강만리입니다."

"따라오시오."

그 강압적인 지시에 강만리는 살짝 불쾌해졌다. 그는 그 자리에 버티고 서서 말했다. 당연히 말투로 달라졌다.

"무슨 일이시오?"

궁녀의 눈매가 사나워졌다.

"따라오라면 따라오는 게요!"

그녀의 목소리가 높아졌다. 강만리는 태연하게 말했다.

"싫소."

곁에 있던 젊은 환관이 당황해하며 강만리에게 소곤거렸다.

"저분은 태자비를 모시는 상궁(尙宮)이십니다."

'태자비?'

강만리의 조그만 두 눈이 동그랗게 변했다.

태자비라면 황태자 주완룡의 정실 부인을 말하는 것이고, 차기 황후(皇后)가 될 사람이라는 뜻이었다.

　'그게 나와 무슨 상관이란 말인가?'

　하지만 강만리는 끝까지 버티었다. 그는 환관을 돌아보며 큰소리로 물었다.

　"세상에서 가장 못난 게 호랑이의 권위를 등에 업은 여우의 위엄이라고 하지 않소?"

　환관의 얼굴은 창백해졌고, 상궁의 표정은 더욱 표독해졌다.

　"무엄하다!"

　그녀는 크게 소리쳤다.

　"태자비의 엄명을 받고 온 몸이다! 감히 일개 백성 따위가 함부로 운신(運身)하고 입을 놀릴 처지가 아니란 말이다!"

　순간 강만리의 얼굴이 굳어졌다.

　그는 서늘한 눈빛으로 상궁을 바라보았다. 일순 걷잡을 수 없는 위엄과 위압감이 강만리의 두 눈에서 서리서리 뻗어 나왔다. 상궁은 등골이 서늘해져서 저도 모르게 움찔거리며 한 걸음 뒤로 물러났다.

　강만리는 묵직한 목소리로 말했다.

　"내게는 황제 폐하께서 직접 하사하신 무림포두라는 증패가 있소. 또한 나는 황태자 전하의 안위를 걱정하여 달려왔고, 앞으로 전하의 병세를 치료해야 할 몸이오. 감히 그런 내게 일개 상궁 따위가 함부로 말을 할 수 있다고 생각하오? 당장 사과하시오!"

강만리의 나지막한 호령 앞에 상궁은 당황하고 말았다. 또 강만리가 내뿜은 위압감 아래 그녀의 기세등등한 위엄은 삽시간에 사라졌으며, 그저 궁에서 하릴없이 나이만 먹은 여인의 모습으로 바뀌었다.

그녀는 강만리의 냉엄한 시선을 회피하면서 어찌할 바를 몰라 하다가, 그래도 마지막 자존심을 지키려는 듯 "흥!" 하며 입을 열었다.

"그대는 훗날 오늘의 무례를 후회하게 될 것이오! 가자꾸나, 애들아."

상궁은 다른 궁녀들을 재촉하여 그대로 발길을 돌렸다.

멀어져 가는 그녀들을 바라보던 환관이 겁에 질린 목소리로 강만리에게 말했다.

"어쩌려고 그러셨습니까? 저 왕(王) 상궁의 권위는 이곳 동궁에서 가장 막강합니다. 앞으로 모든 궁녀와 여관(女官)들의 도움은커녕 매번 훼방만 받게 될 겁니다."

"상관없소."

강만리는 매몰차게 말했다.

"어서 별채로 안내해 주시오."

환관은 한숨을 쉬고는 곧 강만리 일행을 안내했다. 만

해 거사가 강만리 곁으로 다가와 소곤거리며 물었다.

"그런데 그 무림포두라는 증패가 황궁 사람들에게도 통하는 겐가?"

"그야 아니겠죠."

강만리는 웃으며 말했다.

"예전에야 따로 황족대신(皇族大臣) 모두 조사할 수 있는 권한을 받았지만 지금에야 어디 그렇겠습니까? 단지 엄포용으로 그렇게 말했을 뿐입니다."

"허어, 뒤는 생각하지 않고?"

"물론 뒤도 생각했습니다."

강만리는 씨익 웃으며 말했다.

"우리 대사형이 고른 비(妃)입니다. 분명 현명하고 사리 판단이 명확할 터, 절대 우리에게 해를 주지 않을 겁니다."

"흠…… 과연 그럴까? 그래도 내 생각에는 전하를 중독시킨 자가 누구인지 전혀 모르는 상황에서 굳이 적을 만들 필요는 없었던 것 같은데."

"아뇨, 적은 많으면 많을수록 좋습니다."

강만리는 확실하게 말했다.

"그래야 보다 빠르고 쉽게 흉수를 찾아낼 수 있으니까요."

"그래?"

만해거사는 강만리의 말뜻이 정확하게 이해가 되지 않
았지만, 결국 그 정도로 수긍하고 입을 다물었다.

그들이 별채에 당도했을 때에는 막 별채 한쪽 구석에
새로운 약당이 꾸며지고 있던 참이었다.

만해거사와 구자청이 책임자를 찾아서 의견을 나누기
시작할 즈음, 예의 그 왕 상궁과 여인들이 다시 강만리
앞에 나타났다.

왕 상궁은 불편하다는 기색을 잔뜩 드러낸 채 조금 전
과는 사뭇 다른 어조로 강만리에게 말했다.

"태자비께서 강 대협을 부르십니다. 함께 가시지요."

강만리는 유쾌하게 말했다.

"일개 미천한 백성이 감히 태자비 마마의 명령에 따르
겠습니다. 안내하시지요."

왕 상궁의 얼굴이 딱딱하게 굳어졌다.

3. 돌아가면 안 될까, 우리?

'아아, 이 분위기는 정말 싫은데…….'

강만리는 속으로 투덜거렸다.

수년 전 기억이 새삼스레 떠올랐다. 당시 강만리는 황
궁연쇄살인 사건을 해결하던 참이었는데, 갑자기 황후의

부름을 받아 그녀가 기거하는 곤녕궁(坤寧宮)을 찾아야
만 했다.

몇 개의 휘장과 주렴이 칸막이처럼 공간을 나눈 방이었
다. 그 휘장과 주렴 저편, 굳게 닫힌 문 안쪽의 침소에 황
후가 있었으며 강만리는 끝까지 감히 황후의 얼굴을 보
지도 못하고 나와야 했다.

지금도 마찬가지였다.

역시 서너 개의 휘장과 주렴이 강만리의 시야를 차단하
고 있었고, 그 너머에 태자비가 앉아 있었다. 울금향(鬱
金香)의 향기가 희미하게 풍기는 가운데, 태자비의 아름
다운 목소리가 들려왔다.

"미안하오. 왕 상궁이 결례를 범했다고 하던데."

강만리는 부복한 채 말했다.

"아닙니다, 마마. 왕 상궁은 아무런 잘못이 없습니다.
소인의 잘못이 더 크옵니다."

허리를 숙이고 있던 왕 상궁이 강만리를 보며 눈을 부
라렸다. 그렇게나 기세등등하더니 이제 와서 사람 좋은
척을 하는 건 또 뭐냐는 눈빛이었다.

"강 대협의 이름은 전하께 여러 차례 들었소. 전하께서
믿을 수 있는 몇 되지 않은 충복(忠僕)이라고 말이오."

'충복이라……'

말이야 옳았다. 황태자의 입장에서 보자면 강만리는 그

저 끝까지 충성을 다하는 충실한 하인에 지나지 않았다.
그래도 입맛이 씁쓸해지는 건 어쩔 도리가 없었다.

"그저 부끄러울 따름입니다."

"그래, 전하께서 홍과 차에 중독이 되었다는 진단을 내
렸다고 하던데 사실이오?"

'호오, 정말 소문이 빠르군.'

아니면 황태자비의 눈과 귀가 되어 주는 누군가가 황태
자 곁에 있는 것일지도.

"그렇습니다."

"사실이오?"

"사실입니다."

"으음, 나는 믿을 수가 없소. 전하께서는 뭇 사람들의
존경과 신뢰, 충성을 받고 계시오. 그런데 어느 악독한
자가 감히 전하를 시해하려 든단 말이오?"

"그건 이제부터 알아봐야 할 것 같습니다."

"그대가 과거 황궁에서 벌어졌던 연쇄살인 사건을 해
결한 적이 있다고 했소?"

"부끄럽지만 그렇습니다."

"그럼 이번에도 잘 부탁하오."

"명심하겠습니다."

"아, 한 가지…… 따로 불필요한 소문이나 소란은 일으
키지 않았으면 하오."

"황태자 전하께서도 그리 말씀하셨습니다."

"그런데 벌써 소란이 일지 않았소?"

"네? 아, 왕 상궁 말씀이라면……."

"동궁의 별채 말이오. 느닷없이 일개 백성의 무리가 그곳에 기거한다는 소문이 쫙 퍼졌던데."

"아…… 죄송합니다. 그건 소인의 식구가 마침 북경부에 온 까닭에, 그들의 안위를 생각해서 황태자 전하께서 특별히 마련해 주셨습니다. 모든 게 소인의 불찰입니다."

"전하께서 벌인 일이라 이거구려?"

"아닙니다. 모든 게 소인의 불찰일 따름입니다."

"으음, 다른 건 몰라도 그대가 참으로 영악하고 영민하다는 것 하나는 잘 알겠소."

강만리는 그게 칭찬인지, 힐난인지 알 수가 없어서 어찌 대답할지 몰랐다.

황태자비의 말이 계속해서 이어졌다.

"지금 동궁에는 전하를 포함하여 세 분의 황자와 세 분의 공주가 계시오. 비록 황후마마께서는 곤녕궁을 떠나 서궁(西宮)에 머물고 계시지만, 그분들의 평안을 깨는 일은 없어야 할 것이오."

"명심하겠습니다."

"좋소. 어쨌든 그대의 식구에 관한 안전은 내가 책임질 터이니, 그대는 모쪼록 최대한 빠르게 모든 걸 해결해 주시기 바라오. 전하의 건강까지 말이오."

"최선을 다하겠습니다."

"만나서 즐거웠소."

축객령이 떨어졌다.

강만리는 자리에서 일어나 허리를 숙인 채 뒷걸음질 쳐서 방을 나섰다. 이번에는 왕 상궁이 아닌 궁녀들이 그를 안내하여 태자비의 궁을 빠져나왔다.

정오의 햇빛이 머리 위에서 뜨겁게 내리쬐고 있었다. 벌써 여름이었다. 그것도 지독한 더위가 예고되는 무더운 여름.

강만리는 길게 한숨을 쉬며 고개를 설레설레 흔들었다. 역시 이곳은 체질이 아니었다. 치고받고 싸우는 강호가 훨씬 더 마음에 맞았다.

강만리는 다시 별채로 향하면서 동궁 주위를 천천히 둘러보았다.

'가만있자. 그때 듣기로는 이 자금성에 상주하고 인원만 십만 명이 넘는다고 했었지, 아마?'

그랬다.

자금성은 십사 년동안 백만 명의 인부를 동원하여 벽돌 일억 개와 기와 이억 개를 들여 만든 곳으로, 팔백여 채의 건물과 구천구백구십구 칸의 방이 있었다.

그 안에는 황제를 비롯한 황족과 비빈과 후궁들, 그들을 수발하는 궁녀와 환관들, 또 각 청에서 숙직하며 봉공하는 관리와 여관들, 황궁을 지키는 병사들과 무사들 등등 해서 입퇴궁(入退宮)을 하는 자들을 제외하고도 자금성에 순수 상주하는 인원의 수가 무려 십만 명이 이르렀다.

'그때도 그 모든 자들을 조사하는 게 까마득했었는데……'

그래도 지금은 동궁에 국한된 조사이니 조금은 나은 것일까.

그건 아니다.

황태자 주완룡을 암살하고자 하는 이가 어디 동궁에만 있을까. 서궁에도 있을 것이고 궁내(宮內)는 물론 궁외(宮外)에도 존재할 것이다.

그런 의미에서 보자면 황궁연쇄살인 사건 당시보다 몇 배는 더 어려운 일이 될지도 몰랐다.

'어려울수록 더 힘이 나는 체질이니까.'

강만리는 입술을 깨물며 내심 중얼거렸다.

'자, 그럼…… 우리 대사형의 충복이 맨 처음 해야 할 일이 뭔지부터 고민해야겠군.'

* * *

태자비를 만나고 난 이후, 주완룡의 충복인 강만리가 맨 처음 하게 될 일은 전혀 생각 밖의 일이 되고 말았다.

강만리가 동궁 구석진 별채로 향하고 있을 때, 서너 명의 환관들이 태화전(太和殿) 쪽에서 황급히 걸어 나와 그를 불렀던 것이다.

　강만리는 눈살을 찌푸리며 돌아보다가 문득 낯이 익은 환관을 보고는 절로 눈이 휘둥그레졌다.

　'저자는 어전태감(御前太監)이 아니던가?'

　수년 전 황제 폐하를 알현했을 때, 강만리를 그곳으로 안내하고 그곳에서 기다리고 다시 그를 데리고 밖으로 나왔던 바로 그 환관이었다.

　어전태감은 곧 황제의 측근 태감들로, 황제의 지근거리에서 기상과 몸단장, 식사와 놀이까지 모든 걸 시중드는 환관들이었다. 그리고 지금 강만리를 향해 총총걸음으로 다가오는 그 환관은 어전태감의 우두머리, 총관 태감이었다.

　가까이 다가온 총관 태감은 강만리를 향해 허리를 숙이며 말했다.

　"소신을 기억하시겠습니까, 강 대협?"

　강만리가 환하게 웃으며 말했다.

　"물론입니다, 총관 태감."

　총관 태감도 웃으며 말했다.

　"입궁하셨다는 소식을 듣고 언제 뵐 수 있을까 고대했는데 이렇게 빨리 뵙게 되는군요."

"저도 반갑습니다. 그동안 잘 지내셨는지요?"

"성은(聖恩)을 받아 잘 지내고 있습니다. 참, 폐하께서도 강 대협의 입궁 소식을 전해 들으시고 접견을 허하셨습니다."

"폐하께서요?"

강만리의 눈이 커졌다. 총관 태감은 진지한 얼굴로 말을 이었다.

"폐하께서도 태자 전하의 건강에 관심을 지니고 근심하고 계시던 참입니다. 그러니 강 대협께서는 서둘러 입청(入廳)하여 폐하를 안심시켜 주시기 바랍니다."

강만리의 가슴이 저도 모르게 두근거리기 시작했다.

황제를 만난다는 건 주완룡이나 태자비를 알현하는 것과 또 다른 차원의 일이었다. 이미 한 번 경험이 있는 강만리 역시 가슴이 무겁고 답답해지는 건 어쩔 도리가 없었다.

'지금 가서 무슨 말을 어찌하라고…….'

강만리는 속으로 한숨을 내쉬었다. 하지만 겉으로는 어디까지나 감격스럽다는 표정을 지으며 말했다.

"성은이 망극한 일이로군요."

"그럼 저희가 모시겠습니다. 그대들은 물러가도록 하시오."

총관 태감은 태자비의 궁녀들을 향해 말했고, 궁녀들은

태감에게 인사를 한 후 황급히 자리를 떴다.

황제와 황후, 태후를 시봉하는 환관 중 우두머리가 총관이고, 그를 보필하는 이가 수령인 만큼 총관 태감의 권세는 실로 막강하기 그지없었다.

특히 지금 강만리 앞에 있는 총관 태감은 황제의 지근거리에서 먹고 자며 시봉하는 까닭에, 황제의 모든 걸 속속들이 알고 이해하고 있었다.

보다 거창하게 말하면 총관 태감은 곧 황제와 한 몸이었고, 황제의 뜻과 의지였으며 황제의 분신과 다름없었다.

그러니 태자비의 궁녀들이 얼굴을 창백하게 물들인 채 기겁하며 자리를 뜬 건 너무나도 당연한 일이었다.

강만리는 태감들의 안내를 받으로 태화전으로 발길을 돌렸다. 총관 태감은 강만리가 긴장하지 않도록 평범한 대화를 유도했으며, 덕분에 강만리는 조금은 편안하게 태화전으로 들어설 수 있었다.

* * *

강만리가 황제와의 알현을 마치고 다시 동궁 별채로 돌아왔을 때는 이미 화평장의 식구들이 입궁하여 별채에 짐을 푼 후였다.

차마 밖으로 나올 용기까지는 없었는지, 별채 입구에서 잔뜩 흥분한 얼굴을 하고 이리저리 밖을 구경하고 있던 담호와 초목아가 강만리를 제일 먼저 발견하고는 별채 객청을 향해 소리쳤다.

"강 숙부께서 돌아오셨어요!"

강만리는 마치 영웅이 귀환하는 듯한 환대를 받으며 객청으로 들어섰다.

하지만 그는 오랜 전쟁을 패전으로 끝내고 고향으로 돌아온 늙은 병졸처럼 지친 얼굴로, 털썩 자리에 주저앉으며 힘없이 입을 열었다.

"술을 마시고 싶다."

사람들의 눈이 휘둥그레졌다.

평소 술을 즐기지 않는 강만리의 입에서 저런 소리가 나오는 걸 보면, 아무래도 그의 오늘 하루 일과가 영 평탄하지 않았던 게 분명했다.

강만리는 탁자에 엎드리며 하소연하듯 다시 중얼거렸다.

"돌아가면 안 될까, 우리?"

3장.
황제(皇帝)

머릿속에 퍼뜩 떠오르는 생각이 있었다.
이내 그의 눈빛이, 먹이를 만난 살모사의 그것처럼 날카롭고 표독스러워졌다.
마치 과거, 잘나갔던 성도부 포두 시절의 눈빛처럼.

1. 잘나갔던 시절처럼

별채로 돌아온 강만리는 두 동이의 술을 단숨에 마시고 방으로 들어가 죽은 듯이 잠에 빠져들었다.

사람들은 그런 강만리의 모습을 보고 걱정스러운 표정을 지었지만 예예는 전혀 달랐다.

"자고 일어나면 평소의 그이로 돌아올 거예요. 다들 걱정하지 않으셔도 돼요."

그녀는 씩씩하게 말하며 평소와 다르지 않게 행동했다. 사람들은 반쯤 안도하며 다시 자신들의 일에 집중했다.

사실 강만리에게 계속 신경을 쓸 정도로 한가한 상황이

아니었다. 황궁에 들어선 이후 다들 정신없이 바쁘게 움직여야만 했다.

여인들은 아직 철부지 꼬마들이 자칫 일을 저지르지 못하도록 엄중하게 관리해야 했고, 사내들은 머리를 맞대고 앞으로의 상황에 대해 토의를 거듭했다.

또 만해거사와 구자육은 별채 구석진 자리에 만들어지는 약당을 챙기느라 다른 생각을 할 시간도 없었다.

놀랍게도 황궁에서는 안 되는 일이 없었다. 위에서 떨어진 명령과 지시는 반드시 이뤄졌다. 하늘의 지시라면 하루 만에 태산을 쌓을 수도 있고, 바다를 만들 수도 있었다.

하기야 목숨이 걸린 일이었다. 지시를 따르지 않고 명령을 수행하지 못한다면 제 목숨은 물론, 식구들의 안전까지 책임질 수 없는 게 바로 황궁에서의 일이었다.

그러니 약당 건설에 동원된 이들은 목숨을 걸고 일에 집중했다. 누구 하나 딴청을 피우는 자가 없었다.

조그마한 약당 한 채 짓는 일에도 수백 명이 달라붙어 전력을 다했다. 그러니 한나절 만에 공사가 끝나는 건 당연했고, 수백 가지의 온갖 약재들이 약당에 갖춰진 것도 순식간에 벌어진 일이었다.

공사 현장에서 상황을 지켜보며 지휘하던 만해거사와 구자육의 입이 떡 벌어지는 건 너무나도 당연했다. 만해거사는 고개를 설레설레 흔들며 객청으로 들어왔다.

"이거, 필요하다면 용(龍)도 하룻밤 만에 뚝딱 만들어 낼 것 같군그래."

그뿐이 아니었다.

다음 날에는 별채 주변으로 경계를 구획하여 담을 쌓아서 타인의 접근과 시선을 막는 한편, 정원을 조경하여 휴식을 취할 수 있는 공간까지 만들었다.

거기에다가 십여 명의 위사들이 몰려와 별채 주변을 삼엄하게 경계했으니, 그야말로 내시와 궁녀들이 조금의 간섭도 할 수 없게끔 되었다. 실로 믿을 수 없게도 그 모든 게 만 하루 만에 이뤄진 일이었다.

잠에서 깬 강만리는 이미 어두워진 창밖을 내다보며 잠시 멍해 있었다. 아직도 화평장에 머물러 있는 착각에 빠진 채 '꽤 길고 엉뚱한 꿈을 꾸었구나'하고 생각했다.

"세상에, 누군가 태자 전하를 암살하려는 꿈을 꾸다니."

강만리는 툴툴거리며 고개를 저었다. 다시 생각해 봐도 어처구니가 없는 꿈이었다.

하지만 시간이 흐르고 점점 정신이 명료해지면서 강만리는 꿈을 꾼 게 아니라는 걸, 그리고 지금 이곳에 화평장이 아니라 황궁의 구중심처에 있는 동궁이라는 사실을 깨달았다.

그는 저도 모르게 한 차례 크게 몸을 부르르 떨었다. 문득 황제와의 알현 장면이 떠오른 바람에 그렇게 소스라치도록 놀란 것이다.

"폐하께서 그런 생각을 하고 계실 줄이야……."

강만리는 입술을 깨물었다. 그리고 황제가 일개 평범하고 미천하기 그지없는 자신에게 굳이 그런 이야기를 한 이유에 대해서 고민했다.

"나를 진짜 황태자의 충복이라 여기는 것일까?"

도대체 평소 황태자 주완룡은 황궁 사람들에게 어떻게 이야기를 하고 다녔던 것일까.

골치가 아파졌다. 한동안 사라졌던 편두통이 다시 그를 괴롭히고 있었다. 정말 이러다가 제 명에 못 죽겠다는 생각이 강만리의 뇌리를 스치고 지나갔다.

'하지만 죽을 때는 죽더라도…….'

해야 할 일은 해야 했다. 반드시, 어떤 일이 있더라도 해결해야 할 일들이 지금 강만리의 앞에 산더미처럼 쌓여 있었다. 그 첫 번째가 황태자의 일이었다.

강만리는 잠시 생각하다가 자리에서 일어나 방을 나섰다. 객청에는 불이 환하게 밝혀져 있었고, 두런두런 대화를 나누는 소리가 들려왔다. 그는 복도를 따라 객청으로 향했다.

"일어나셨어요?"

예예가 제일 먼저 그를 발견하고 활짝 웃으며 말했다.

"이리로 앉으세요. 꿀물 타 올게요."

"고마워."

강만리는 머쓱하게 웃으며 자리에 앉았다.

객청 큰 탁자에는 십여 명의 사람들이 자리를 차지하고 있었다. 담우천과 나찰염요, 장예추와 당혜혜, 화군악과 정소흔, 정유와 만해거사 그리고 구자육까지, 이곳의 어른들은 모두 모여 있었다.

강만리는 그들을 둘러보다가 눈을 동그랗게 뜨며 물었다.

"어라? 보이지 않는 사람들이 몇 있네?"

정유가 대답했다.

"헌원 노대와 설 형님은 채석장에 머물겠다고 하셨습니다."

"왜?"

"따로 할 일이 있다고 하던데요?"

"뭔데?"

"그야 저도 모르죠."

정유의 무책임한 대답에 강만리는 눈살을 찌푸렸다. 그러고는 다시 고개를 갸웃거리며 물었다.

"그럼 양 당주와 고굉은?"

"고 방주는 당연히 이곳으로 달려오려고 했습니다만, 양 당주가 갈 필요 없다면서 극구 말리는 바람에 오지 못했습니다. 황궁에 들어갈 좋은 기회인데, 하면서 눈물까지 글썽거리더군요. 조금은 안타깝더라고요."

"아니, 양 당주가 잘한 거네. 그 녀석은 오지 않는 게 도와주는 거니까. 그럼 여기 모인 사람들이 전부인가?"

"네. 담 형님의 둘째 형수는 아이들을 챙기느라 일찍 주무셨습니다."

"둘째 형수가 고생이네, 정말."

강만리의 말에 나찰염요가 입술을 삐죽이며 말했다.

"저도 조금 고생해야죠, 이제는."

"아니, 형수에게 뭐라 하는 게 아닌데요."

"알아요."

나찰염요는 강만리가 허둥거리는 모습을 보며 빙긋 웃었다.

강만리가 속으로 한숨을 내쉴 때, 구자육이 소리 내어 한숨을 내쉬었다.

"무슨 일이오?"

강만리가 묻자 구자육은 걱정스러운 표정으로 말했다.

"초 나리를 두고 온 게 영 마음에 걸려서 말입니다."

"아, 그렇군."

강만리가 고개를 끄덕이자 정유가 빠르게 말했다.

"그렇다고 해서 병자를 황궁에 들일 수는 없는 노릇이라서요."

"그것도 그렇지."

"아무래도 저는 채석장으로 돌아가 봐야 할 것 같습니다."

구자육이 말했다. 그러자 강만리가 문득 정색하며 진지한 목소리로 말했다.

"한 가지 묻고 싶은데, 사실대로 대답해 주시오."

"말씀하십시오."

"초 어르신, 살아날 가능성이 있소?"

"그건……."

구자육은 말꼬리를 흐리며 힐끗 만해거사를 돌아보았다. 만해거사는 팔짱을 끼며 지그시 눈을 감았다. 구자육은 또다시 한숨을 내쉬며 말했다.

"제 실력이 부족하기도 한 데다가, 너무 오랫동안 가사(假死) 상태에 빠져서…… 아무래도 천운이 따르지 않고서는 다시 회복하는 건 무리라고 생각합니다."

강만리는 잠시 생각하다가 만해거사에게 질문을 던졌다.

"만해 사부는 어찌 생각하십니까?"

만해거사는 여전히 눈을 감은 채 아무 대꾸도 하지 않았다. 하지만 그 표정만으로 강만리는 알 수 있었다.

'그렇겠지. 본인의 입으로 벗의 죽음을 인정하고 싶지는 않을 거야. 유 사부도 돌아가신 마당에…….'

강만리는 지금 만해거사가 얼마나 슬퍼하고 아파할지 감이 오지 않았다. 비록 지금 저렇게 담담한 표정을 유지하고는 있지만 이미 그 속은 새카맣게 타 버렸으리라.

"다들 차 드세요."

예예가 꿀을 탄 차를 가지고 와 사람들의 찻잔에 따랐다.

강만리가 꿀차를 한 모금 마시고는 입을 열었다.

"사실 지금 상황에서 굳이 구 당주가 채석장에 가 있을 필요는 없다고 생각하오. 구 당주가 그곳에서 할 일은 거의 없으니까."

구자욱이 침음한 표정으로 고개를 끄덕였다. 확실히 지금 초유동은 구자욱이 어찌해 볼 수 있는 병세가 아니었다.

"그러니 구 당주는 초 어르신의 수발에 필요한 것들을 마련해 주시오. 양 당주에게 구 당주 대신 초 어르신을 간호하라고 말하면 되니까. 그리고 사람을 통해 초 어르신의 상태를 보고하라 하면 되지 않겠소?"

"알겠습니다. 그리하겠습니다."

구자욱은 마치 강만리의 약당주라도 된 듯 고개를 숙이며 그렇게 깍듯하게 대답했다.

"그럼 초 어르신 건은 그걸로 된 것 같고, 약당의 일은 어찌 되어 가오?"

"이미 필요한 모든 재료가 구비되었습니다. 내일 새벽부터 약재(藥材)를 달이면 모레쯤 해독약이 마련될 것 같습니다."

구자육의 대답에 문득 정유가 고개를 갸웃거리며 입을
열었다.

"오전에는 전하 앞이라 차마 묻지 못했는데 말입니다."

"말씀하십시오."

"왜 황궁의 어의들은 전하의 증상이 홍과 차의 중독 증
상임을 알아차리지 못한 겁니까? 어의라면 그래도 천하
에서 내로라하는 실력을 지닌 의생들일 텐데요."

"아, 그건……."

구자육이 애매한 얼굴로 말했다.

"사실 홍과 차의 성분이 극독의 일종이라고 생각하는
사람이 없기 때문입니다."

"응? 그건 왜?"

강만리는 물론 모든 사람이 깜짝 놀랄 때, 만해거사가
고개를 끄덕이며 말했다.

"예로부터 불사의 비약으로 사용해 왔으니까."

사람들의 시선에 만해거사에게로 향했다. 만해거사는
천천히 눈을 뜨며 말했다.

"나 역시 젊은 시절까지는 차로 만든 홍이 심신을 건강
하게 만들고 수명을 늘려 주는 효과가 있다고 생각했으
니까. 하지만 서역에서 생활하는 동안, 그곳에서 홍과 차
에 중독되어 죽는 사람들을 너무 많이 봤지. 그래서 생각

이 바뀌고 이후 차의 중독성에 대해서 연구하기 시작했네. 그런데 이 젊은 친구는 나와는 달리 이미 홍과 차의 해악에 대해서 너무나도 잘 알고 있더군그래."

"선사(先師)께서 불로불사의 홍을 만드시다가 중독되어 돌아가셨거든요. 그 마지막 유언이 홍과 차는 절대 먹어서는 안 되는 독물이다, 였고요."

구자육은 머쓱한 표정을 지으며 말하다가 문득 분하다는 표정으로 바뀌었다.

"이후 저는 만해거사처럼 차의 위험성에 대해서 연구했습니다. 하지만 세상에 나왔을 때 그 누구도, 동료나 선배 의생 중 그 누구도 제 말을 들어 주지 않았습니다. 여전히 그들에게는 차가 신(神)의 물건이었고 만병통치, 불로불사의 희망이었습니다. 아마도 그건 어의들에게도 마찬가지였겠죠. 그 어떤 어의도 태자 전하께서 차에 중독되었다는 생각조차 하지 않았을 겁니다."

구자육의 말이 끝났다. 객청에 모인 사람들 모두 심각한 표정을 지은 채 상념에 젖었다.

홍은 곧 차, 수은을 바탕으로 만든 환단으로, 고대(古代)로부터 도사들이 지금껏 만들어왔던 비약(秘藥)이었다. 심지어 무당파 도사들도 아직까지 차를 재료로 한 홍을 만드는 비법을 탐구하고 있었다.

구자육과 만해거사는 차와 홍에 관한 한 선각자(先覺

者)인 셈이었고, 언제나 그랬던 것처럼 세상 사람들은 선각자의 말을 진실로 받아들이지 못했다.

"그러면 말이에요."

예예가 고개를 갸웃거리며 입을 열었다.

"그렇게 다들 차와 홍이 좋다고 생각한다면, 어쩌면 좋은 의미로 태자 전하께 몰래 복용시킨 건 아닐까요? 건강하시라고, 오래 사시라고 말이에요."

"설마."

강만리가 고개를 저으며 중얼거렸다.

"아무리 좋은 뜻이라 하더라도 황제나 황태자가 먹는 음식에 함부로 손을 대는 건…… 음?"

강만리가 입을 다물었다.

머릿속에 퍼뜩 떠오르는 생각이 있었다. 이내 그의 눈빛이, 먹이를 만난 살모사의 그것처럼 날카롭고 표독스러워졌다. 마치 과거, 잘나갔던 성도부 포두 시절의 눈빛처럼.

2. 나는 올해 죽을 것이네

강만리의 눈빛이 변한 걸 제일 먼저 눈치챈 건 역시 예예였다.

"뭔데요? 뭔가 떠오른 게 있으세요?"

예예가 묻자 강만리는 잠시 생각하다가 고개를 저으며 다른 소리를 했다.

"아니, 폐하의 말씀이 떠올라서."

"아, 참. 폐하와 독대했다면서? 무슨 대화를 나눈 겐가?"

만해거사의 질문에 다른 이들 역시 궁금하다는 표정을 지으며 강만리의 입을 주시했다. 강만리는 엉덩이를 긁적이며 난감하다는 듯 입을 열었다.

"그게 그러니까…… 함부로 말하지 말라는 엄명(嚴命)이 있으셔서 말입니다. 죄송합니다."

"흠, 폐하께서 그리 말씀하셨다면 어쩔 도리가 없지. 그래, 폐하는 건강하시고?"

"네, 많이 늙으셨지만 그래도 건강하신 것 같았습니다."

"그렇다면 역시 이번 하독(下毒)은 태자 전하만을 노린 범죄로군그래."

만해거사의 말에 다들 무거운 표정이 되었다.

도대체 어느 누가 황태자를 노리고 하독한 것일까. 사람들은 저마다 의문을 가지고 그 의문을 풀기 위해 잠시 상념에 젖었다.

반면 강만리는 낮에 나눴던 황제와의 대화를 떠올리고 있었다.

황궁연쇄살인 사건과 역모 사건을 해결한 공로로 독대한 지, 육칠 년만의 재회라 할 수 있었다.

황제의 용안(龍顔)은 많이 늙어 있었다. 홀로 수십 년 세월의 바람을 맞은 듯, 황제는 위풍당당했던 모습은 사라진 채 수척한 노인이 되어 강만리를 맞이했다.

강만리가 황제와 독대한 시간은 매우 짧았으며 그들이 나눈 대화는 더욱더 짧았다.

당연한 일이었다. 황제의 일과는 매우 빽빽하고 촘촘하게 짜여 있었다. 그 일과 사이사이의 자투리 시간을 짜내어 강만리를 만난 것이며, 또한 서로 깊은 대화를 나눌 만큼 가까운 사이도 아니었으니까.

"그대는 달라진 게 없구나."

그게 황제의 첫마디였다.

"성은(聖恩)을 입은 덕분이 아닐까 싶습니다."

강만리는 입바른 소리만 잘하는 게 아니었다. 때로는 필요하다면 이런 식으로 아부도 할 수 있었다.

어쨌거나 한때는 성도부에서 아주 잘나가는 포두였으니까. 오로지 실적만 가지고는 승승장구할 수 없는 곳이 그 바닥 생활이었으니까.

"그럼 짐(朕)은 성은을 입지 못해서 이리도 늙은 모양이로구나."

황제의 가벼운 농담에 강만리도 가벼운 농담으로 대처

했다.

"성은을 너무 나눠 주셨나 봅니다."

"허허허."

환관들이 깜짝 놀랄 정도로 황제는 아주 오래간만에 웃었다.

황제는 미소를 지으며 입을 열었다.

"왜 완룡이 그대의 칭찬을 하는지 잘 알겠구나."

"성은이 망극할 따름입니다."

"태자 이야기가 나왔으니 묻겠네. 예전의 건강을 되찾을 수 있겠나?"

"물론입니다."

"믿겠네."

황제의 말은 게서 끝났다. 누가 황태자를 그리 만들었는지, 어떤 암수에 걸린 건지도 묻지 않았다.

하기야 그런 속사정까지 일일이 알 필요는 없을지도 모른다. 결과만 알면 되는 것이리라. 황태자가 살아날 수 있는지, 하는.

환관들이 황제의 눈치를 보며 강만리에게 퇴청(退廳)을 명하려 했다.

그때였다. 갑자기 황제가 길게 한숨을 내쉬며 의외의 말을 꺼낸 것은.

"나는 올해 죽을 것이네."

강만리의 눈이 휘둥그레졌다. 환관들도 깜짝 놀라 소리쳤다.

"폐하!"

"어찌 그런 말씀을……."

황제는 손을 내저었다.

환관들이 얼굴을 창백하게 물들인 채 얼른 입을 다물었다. 경황이 없는 와중에도 그들은 황제 앞에서 불경(不敬)의 죄를 범했다는 것을 깨달은 까닭이었다.

황제는 그들을 책망하지 않았다. 그저 강만리에게 넋두리하듯 중얼거릴 따름이었다.

"내년에는 황태자가 곧 황제가 되어야 하네. 알겠는가?"

"명심하겠습니다, 폐하."

"좋아. 그럼 이곳에 머무는 동안 그대의 모든 편의를 제공해 주겠네. 짐의 이름으로 말일세."

불과 반각도 되지 않은 독대였다. 황제가 강만리에게 한 말은 열 마디도 채 되지 않았다. 하지만 환관들의 안내를 받으며 태화전을 벗어나는 강만리의 이마에는 새롭게 주름살이 몇 개나 그어져 있었다.

'왜 그런 말씀을 하셨을까?'

지금도 의아한 대목이었다.

올해 죽는다니.

황제는 자신의 운명을 알고 있다는 듯이 말했다. 비탄

(悲嘆)도 체념도 좌절도 아닌, 그저 늦가을 낙엽이 떨어지는 걸 보면서 무심코 중얼거리듯 내뱉은 말이었다.

'비록 늙기는 하였으나 죽을 정도로 쇠약해진 건 아닌 듯싶은데…….'

강만리의 머릿속이 복잡해졌다.

"혼자 고민하지 말고 함께 나누자고요, 우리."

예예의 목소리가 강만리의 상념을 깼다.

"응? 아."

강만리는 그제야 지금 자신이, 태화전이 아닌 동궁 별채의 객청에 앉아 있다는 걸 깨달았다. 그리고 예예를 비롯한 사람들이 수상쩍은 눈빛으로 자신을 바라보고 있다는 것도 알아차렸다.

강만리는 머쓱한 표정을 지으며 말했다.

"내일 아침 뭐 먹을까 해서."

"아휴, 정말 끝까지 그럴 거예요?"

예예가 두 눈에 쌍심지를 켜는 순간, 담우천이 강만리를 구원해 주듯 입을 열었다.

"머릿속이 정리되면 그때 이야기해 주게."

강만리는 살짝 고개를 숙이며 말했다.

"그리하겠습니다, 형님."

그렇게 순식간에 이야기가 정리되자 예예는 더 이상 화

를 낼 수도, 화제를 이어 나갈 수도 없게 되었다.

그녀는 끄응, 하는 표정을 지으며 강만리를 노려보았다.

강만리는 시치미를 뚝 떼고 사람들을 둘러보며 입을 열었다.

"그럼 다른 사람들은 오늘 하루 어찌 보내셨습니까?"

나찰염요가 미소를 지으며 제일 먼저 대답했다.

"초목아, 그 아이에게 상당한 내공이 있더군요."

"아, 그래요?"

"초 어르신이 마지막으로 정신을 잃기 전에 그녀에게 내공을 전해 준 것 같더라고요."

"으음."

"그 아이가 무공을 배우고 싶다고 해서, 저와 예예 동생이 오늘부터 가르치고 있어요. 상당히 자질이 뛰어나고 열성적이라 제법 가르칠 맛이 나네요."

"무리하지는 말게."

담우천이 조금은 다정한 목소리로 말했다. 나찰염요가 눈을 흘기며 웃었다.

"이미 다 나았거든요? 그리고 꼭 사람 많은 자리에서 다정한 척 그리 말씀하신다니까."

담우천은 순간 당황한 표정을 지으며 헛기침을 했다.

만해거사가 불이 붙지 않은 장죽(長竹)을 만지작거리며 입을 열었다.

"나와 구 당주는 온종일 약당에 매달려 있어서 보고할 게 별로 없네."

강만리는 만해거사가 가지고 노는 담뱃대를 가만히 바라보았다. 유품(遺品)이라고 해야 할까, 유 노대가 즐겨 피우던 담뱃대였다.

"아, 이거?"

만해거사는 강만리가 담뱃대를 바라보는 걸 알아차리고는 어깨를 으쓱거리며 말했다.

"이게 흑철죽(黑鐵竹)으로 만든 담뱃대라 어지간한 칼이나 검보다 더 단단하지. 훨씬 더 가벼우면서 말일세. 왠지 버리기에는 아까운 물건 같거든. 그래서 내 호신용으로 사용할까 하네. 뭔가 사용하기 좋은 초식이 하나 있었으면 좋을 것 같은데……."

"제가 간단한 연죽술(煙竹術) 하나를 아는데, 괜찮으시다면 전해 드리겠습니다. 칠죽연귀(七竹烟鬼)의 무공입니다만……."

담우천의 말에 만해거사가 눈을 동그랗게 떴다.

"호오, 칠죽연귀의 무공이라면 나름 쓸 만하겠군. 아주 연초(煙草)라면 죽고 못 살던 늙은이였으니까."

연귀(烟鬼)는 골초, 즉 연초를 심하게 피우는 사람을 뜻했다. 칠죽연귀는 일곱 개의 담뱃대를 가지고 다니면서 쉬지 않고 연기를 뿜어냈다고 해서 붙여진 별호였다.

또한 그는 일곱 개의 장죽을 가지고 펼치는 독특한 무공으로도 꽤 유명했던 전대의 기인이었다.

그렇게 또 하나의 대화가 일단락이 되면서 화군악이 멋적은 표정을 지으며 입을 열었다.

"저는 온종일 이곳에만 처박혀 있어서……."

별로 이야기할 게 없는 게다.

"당연하지. 건강을 회복한 지도 얼마 되지 않았고."

강만리는 태연하게 고개를 끄덕이며 말했다.

"어쨌든 내일부터 조금 바빠질 것 같습니다. 또한 황궁 사람들의 이목이 이곳으로 집중될 듯하니, 다들 조심하시기 바랍니다. 아이들도 밖에 나가지 않도록 주의하고, 또 임산부들 또한 안정을 취할 수 있도록 다른 분들이 도와주셨으면 합니다."

사람들이 고개를 끄덕일 때, 문득 만해거사가 조심스레 입을 열었다.

"태자 전하께서 장담하시기는 했지만 그래도 이렇게 우리 같은 일반 백성들이 황궁, 그것도 구중심처인 동궁에 자리를 잡고 지내는 걸 반대하는 이들이 많을 텐데……."

"아, 그건 폐하께서 이미 허하셨으니 괜찮을 겁니다."

"폐하께서?"

"네. 이곳에 머무는 동안 우리 가족의 모든 편의를 제공해 주시겠다고 약조하셨습니다. 그러니 그 부분은 그리 신경 쓰지 않으셔도 될 것 같습니다. 그리고……."

강만리의 말은 계속해서 이어졌다.

"정유는 나와 함께 태자 전하의 주변 인물들을 조사할
터이니 단단히 각오하고 있도록."

정유가 한숨을 쉬며 물었다.

"왜 하필 접니까?"

강만리가 웃으며 대답했다.

"그야 자네가 태극감찰밀 소속이니까."

정유는 아무 대꾸도 하지 못했다.

3. 태의원(太醫院) 의관(醫官)들

다음 날.

강만리의 입궁 소식은 황궁 전역에 쫙 퍼졌다. 발 없는
말이 천 리를 간다고 환관 여관 대신 할 것 없이, 강만리
와 그의 식구들이 동궁 한구석의 별채에 자리를 잡은 사
실을 모르는 이가 없었다.

그 사실을 알게 된 황궁 사람들의 반응은 크게 두 가지
로 갈렸다.

지난날 강만리가 황궁연쇄살인 사건과 역모를 해결했
다는 걸 기억하는 자들은 그를 영웅으로 생각하여 한 번

이라도 얼굴을 보고자 했다.

한편 강만리로 인해 실각하여 한직(閑職)으로 물러났거나, 혹은 일개 평민이 영웅으로 추앙받는 것 자체를 질투하고 질시하는 자들도 있었다.

그들은 강만리의 업적을 폄훼하고 깎아내렸으며, 또한 강만리의 식구가 동궁 별채에 머무는 걸 두고 법도에 없는 일이라며 당장 쫓아내야 한다고 주장했다.

하지만 황제의 조회(朝會) 이후 후자의 주장은 쏙 들어갔다. 몇몇 대신들은 황궁 법도에 어긋나는 일이라고 반론을 펼치기도 했지만, 황제의 지엄한 명령 앞에 결국 그들은 고개를 숙여야만 했다.

비록 환갑이 지나면서 조금은 부드러워지기는 했지만 어디까지나 지금의 황제는 철권의 통치자였고 지배자였다. 역모에 가담했던 자들의 구족을 멸하는 냉혹함과 잔인함까지 지니고 있었다.

그런 황제의 권세 앞에서 그 누구도 감히 고개를 들 수가 없었다.

"짐이 허한 일이다. 두 번 다시 입에 올리지 말라."

그 말이면 족했다.

황제의 그 말 앞에서 황궁의 법도니 역사니 운운하는 자들은 더 이상 존재하지 않았다.

하지만 그로 인해 강만리 일행을 탐탁지 않게 생각하는

이들은 더욱 늘었다. 그들은 비록 입을 열어 말은 하지 않았지만, 반드시 강만리의 꼬투리를 잡아서 엄벌에 처하리라고 마음먹었다.

사실 황태자 주완룡의 상태를 아는 이들은 극히 적었다. 일반 대신들은 물론이거니와 환관들과 궁녀, 심지어 비빈들 또한 알지 못했다.

그러니 그들의 입장에서 보자면, 강만리 일행이 왜 동궁 깊숙한 곳에 자리를 마련했는지 도저히 이해할 수 없는 게 당연했다.

어의(御醫), 태의(太醫)들로 불리는 의관(醫官)들도 마찬가지였다.

황궁에는 뛰어난 의술을 가진 수십 명의 어의들이 있었는데, 그들을 칭하는 정식 명칭은 태의라 하였다. 태의는 곧 태의원(太醫院)에서 근무를 하였고, 그 수장을 원사(院使)라 칭했다.

태의원의 역사는 수백 년 전으로 거슬러 올라가는데, 시대마다 상약국(尙藥局), 태의원, 상의감(尙醫監) 등 서로 다른 명칭으로 불리다가 이 시대에 와서 다시 태의원이라는 명칭으로 정착되었다.

하지만 이 시대 원사의 품계는 정오품으로, 과거의 그 어느때보다도 품계가 낮았다.

어쨌든 태의원의 의관들 중 태자 주완룡의 병세를 알고

있는 이는 원사와 좌우원판(左右院判)을 포함하여 다섯도 채 되지 않았다. 황제와 황태자의 건강 문제는 극비에 해당하였으며, 태의원의 수뇌부들만 알 수 있는 일이었다.

그런 까닭에 이날 오전 강만리가 태의원의 의관들을 모두 불러 모으자 당연히 그들의 입에서 불평불만이 쏟아져 나왔다.

"아니, 태의원이 뻔히 있는데 일반 백성들에게 약당을 지어 준 건 도대체 무슨 처사인지 모르겠소이다!"

"이건 칠십이 명의 의관 모두를 농락하고 멸시하는 일이 분명하외다."

"그렇다면 우리 모두 죽음을 각오하고 혈서(血書)를 써서, 우리의 뜻과 의지를 보여 주어야 하는 것 아니오?"

성난 의관들이 마구잡이로 떠드는 동안, 태의원의 수뇌부들은 한쪽 구석에 모여서 심각한 표정을 지은 채 머리를 맞대고 이야기를 나눴다.

태의원의 관등(官等)은 기본적으로 팔계(八階)로 나뉜다. 원사가 그중 으뜸으로 태의원의 조직을 총괄했고, 좌원판과 우원판이 그를 보좌했다. 그 아래로 어의가 있고 이목(吏目)이 있으며, 다시 그 밑으로 의생, 절조의생(切造醫生) 등이 있었다.

인원의 수는 시대마다 약간의 증감이 있었는데 대략 그 수가 백을 넘지는 않았다.

원사를 포함한 칠십이 명의 의관들이 하루 만에 급조된 동궁 별채의 약당에 모여 시끄럽게 떠들고 있을 때였다.

　별채 쪽의 문이 열리고 네 명의 사내들이 약당으로 들어섰다. 일순 의관들은 입을 다물고 네 명의 사내들을 죽일 듯 노려보았다.

　선두로 들어선 멧돼지처럼 생긴 자가 입을 열었다.

　"다들 바쁘실텐데 바로 본론으로 들어가겠소이다. 우선 두 가지만 간략하게 말씀드리겠소이다. 하나는 본(本) 강 모는 황제 폐하와 태자 전하의 명을 받들어 전권을 위임받았다는 사실이오. 그러니 본인의 명령과 지시를 거부하는 건 곧 폐하와 전하를 거역하는 것으로 받아들일 것이오."

　의관들의 안색이 창백해졌다.

　조금 전까지 죽음을 각오하고 혈서를 써서 자신들의 궁지를 보여 주자던 의관들은 얼굴이 새파랗게 질린 채 입한 번 벙긋하지 못했다.

　"다른 하나, 이렇게 모든 의관들을 이곳으로 모이게 한 이유를 말씀드리겠소. 태자 전하께서 극독에 중독되셨소이다."

　"아아!"

　"이런……."

　누구보다도 먼저 원사와 좌우원판들의 입에서 침음성

이 흘러나왔다.

　그건 오직 그들 셋과 태자 전하의 전문 어의 두 명, 이렇게 다섯 명을 제외하고는 누구도 알지 못하던 극비의 사실이었다. 이렇게 함부로, 아무렇게나 입에 올릴 이야기가 절대 아니었다.

　당황하고 놀란 건 그들뿐만이 아니었다. 칠십여 명의 의관 모두가 사내, 강만리의 다짜고짜 내뱉은 말에 "헉!" 하고 외마디 비명을 내질렀다.

　강만리는 한 줌의 표정 변화도 없이 계속해서 말을 이어 나갔다.

　"태저 전하를 중독시킨 건 수은이오. 누군가 소량의 수은을 오랫동안 전하께 복용시켰소."

　강만리의 말에 초로의 의관이 크게 반박했다.

　"말도 안 되오! 수은은 결코 독이 될 수 없소이다!"

　강만리는 그를 돌아보며 물었다.

　"귀하는?"

　"우원판 안우(安祐)라고 하외다."

　우원판은 태의원의 삼인자(三人子)로 정육품의 품계를 갖고 있었다.

　강만리는 그를 잠시 바라보다가 그 옆의 두 늙은 어의에게 물었다.

　"두 분도 같은 생각이시오?"

원사 조소금(趙紹琴)과 좌원판 위문루(魏文樓)는 살짝 머뭇거리다가 고개를 끄덕였다.

"수은은 하늘이 내려 주신 비약으로 불로불사의 근원이 되는 물질이오."

"과거로부터 지금까지 무수히 많은 선각자들이 그 수은으로 환단을 만들어 복용한 바, 그 누구도 중독되지 않았소이다. 우리 역시 우원판의 말이 옳다고 생각하오."

강만리는 가볍게 한숨을 내쉬었다.

"우선 버르장머리부터 고쳐야겠군."

그는 눈을 부라리며 싸늘한 어조로 말했다.

"무엄하기 이를 데가 없구나."

강만리의 갑작스러운 변화에 의관들이 움찔거렸다.

강만리는 살기까지 번들거리는 눈빛으로 원사와 원판들을 둘러보며 말했다.

"조금 전 분명히 말했다. 이 몸은 황제 폐하와 태자 전하의 전권을 위임받았다고 말이다. 그런데도 감히 내 앞에서 '하오' 운운한다는 것은, 곧 폐하와 전하를 앞에 두고서도 그리 말하겠다는 것과 다름이 없다. 과연 그렇더냐?"

일순 원사와 원판들의 얼굴이 사색이 되었다. 원사 조소금이 얼른 고개를 숙이며 빠르게 사과했다.

"죄송합니다. 그런 뜻은 전혀 아니었습니다. 어찌 황제 폐하와 태자 전하의 명을 수행하시는 강…… 강 나리의 위엄을 거스르려 했겠습니까? 부디 통촉해 주십시오."

"그대들은?"

강만리의 서슬 퍼런 눈길을 접한 좌우원판은 동시에 허리를 숙이며 황급히 사죄했다.

강만리는 말없이 내공을 운기한 눈빛으로 의관들을 둘러보았다. 의관들은 감히 강만리와 눈을 마주칠 생각을 하지 못한 채 고개를 숙이거나 시선을 돌렸다.

얼음장처럼 싸늘한 분위기가 약당 전체를 휘감았다.

누구 하나 입을 여는 이가 없었다. 침을 꿀꺽 삼키는 소리마저 들릴 정도로 장내가 조용해진 가운데, 강만리가 천천히 입을 열었다.

"수은의 독성에 관해서는 나보다 이 두 분이 더 잘 아시니 이분들이 따로 설명할 것이다. 그 설명을 듣기에 앞서 태의원에서 수은을 약재로 사용하거나 혹은 사용한 적이 있는 의관은 손을 들라."

강만리의 말에 의관들은 머뭇거렸다.

이미 주완룡이 수은에 중독되었다는 이야기를 들은 후였다. 비록 수은이 독물이라는 걸 믿지 않는다 하더라도 그 상황에서 손을 드는 건 사실 꽤 용기가 필요한 일이었다.

좀처럼 손을 드는 자가 없자 강만리는 조금은 부드러워

진 목소리로 말했다.

"무지(無知)로 생긴 일까지 나무랄 생각은 없다. 걱정하지 말고 손을 들라."

먼저 원사가 조용히 손을 들었다. 좌우원판도 따라서 손을 들었다. 그들을 본 의관들은 용기가 생겼는지 하나둘씩 손을 들기 시작했다. 이내 그 수가 절반을 넘더니 대다수의 의관들이 손을 들었다.

"이런……."

강만리는 한숨을 내쉬었다.

'생각보다 많은데?'

강만리는 의관들을 둘러보며 내심 그렇게 중얼거렸다.

아직 손을 들지 않은 의생의 수가 일곱이나 되었다.

그게 문제였다. 주완룡이 복용한 차를 만들었다고 의심할 만한 이들이 무려 일곱이나 된다는 것이.

4장.
하독(下毒)

강만리의 눈매가 가늘어지는 순간이었다.
탕국에 은침을 넣고 휘휘 젓던 구자욱이
그럴 줄 알았다는 표정을 지으며 말했다.
"독(毒)입니다."
구자욱이 들고 있는 은침이 검게 물들여져 있었다.
동시에 사람들의 얼굴이 딱딱하게 굳어졌다.

1. 주적심허(做賊心虛)

"한 가지 부탁드리고 싶소이다."

강만리는 조소금과 위문루, 안우에게 사정을 구했다.

"잠시 후 약당에서 강압적으로 대할 것이니 부디 양해해 주시기 바랍니다."

"알겠습니다."

원사 조소금이 당연하다는 듯 고개를 끄덕였다.

"전하께 하독한 자를 찾는 일이니 그 정도는 당연히 협조해야죠. 하지만 그 계획으로 과연 흉수를 찾을 수 있을지 의문이 갑니다."

"저도 그리 생각합니다."

그러자 좌원판 위문루도 조소금의 의견에 동의한다는 듯이 말을 이어받았다.

"의관 모두가 수은을 다루고 있기는 하지만, 강 밀위장(密衛長)께서 그게 독물이라는 걸 먼저 말하게 되면 다들 겁에 질려서 손을 들지 않을 것 같습니다."

"그냥 강 대협이라 불러 주시구려."

강만리는 태자밀위장이라는 직책이 영 어색한 듯 그렇게 말을 시작했다.

"그렇기 때문에 여러분들의 연기력이 필요한 겝니다. 여러분들께서 먼저 손을 들어 주시면 의관들도 따라서 손을 들 겁니다. 죄가 없는 자들은 독물인지 전혀 모른 상황에서 수은을 다뤘으니 별다른 죄책감 없이 태의원의 수뇌부들을 따라 움직일 겁니다. 하지만 만약 죄가 있는 자라면, 즉 수은이 독물인지 알고 사용한 전력(前歷)이 있는 자라면……."

강만리는 눈빛을 반짝이며 말했다.

"감히 쉽게 손을 들 수 없을 겁니다. 주적심허(做賊心虛)라고, 도둑 제 발 저리다는 속담이 달리 있는 게 아닙니다."

* * *

이곳 약당에 모이기 전 강만리와 태의관 수뇌부들이 나

넘던 이야기 그대로 상황은 전개되었다.

태의관 수뇌부들의 연기력은 생각보다 훨씬 뛰어났다. 그들은 자신들이 맡은 역할을 충실히 해냈으며, 덕분에 강만리는 약당의 분위기를 단숨에 휘어잡을 수 있었다.

그러나 문제는 생각보다 많은 의관이 손을 들지 않았다는 점이다.

'일곱 명이라……'

물론 손을 든 자들 중에서도 용의자가 있을 수 있다.

하지만 지금 상황에서는 손을 들지 않은 의관들이 더욱더 확실한 용의자인 셈이었는데, 그 수가 일곱이나 되었다.

'한 명씩 따로 조사를 해야 하나, 아니면 묶어서 조사를 해야 하나?'

강만리는 머리를 굴리는 한편, 아직도 손을 든 채 불안한 표정으로 자신을 바라보는 의관들을 향해 입을 열었다.

"좋다. 손을 든 의관들은 자리에서 일어나 약당을 나가도록. 그리고 손을 들지 않은 자들은 앞자리로 와서 앉도록 한다."

의관들이 웅성거리며 자리에서 일어나 약당을 벗어났다.

그때였다. 서너 명의, 손을 들지 않았던 의관들이 눈치를 살피며 함께 주춤주춤 자리에서 일어나더니 북적거리는 틈을 타서 약당을 빠져나가려 했다.

하지만 장내를 훑어보던 강만리와 정유의 눈빛은 한없이 예리하고 날카로웠다.

"거기 멈춰라!"

강만리가 버럭 소리쳤다.

일순 우르르 밖으로 몰려 나가던 의관들이 얼어붙은 것처럼 우뚝 멈춰 섰다.

동시에 정유가 훌쩍 몸을 날려 그들의 머리 위를 날아가 입구 쪽으로 내려섰다. 그러고는 네 명의 의관들을 손가락으로 가리키며 말했다.

"그대들은 손을 들지 않았잖소?"

의관들이 당황해하며 말했다.

"아, 그게 그러니까…… 손을 들지 않은 자들더러 나가라고 한 게 아니었습니까?"

정유가 코웃음을 쳤다.

"손을 들지 않은 자가 이리 많았다고 생각하오?"

의관들의 얼굴이 벌겋게 달아올랐다.

정유는 다른 의관들을 둘러보며 말했다.

"그대들은 이제 밖으로 나가도 좋소."

의관들이 사색이 된 채 호랑이 굴을 빠져나가듯 부리나케 움직여 약당을 벗어났다.

잠시 후 한바탕 소란이 멈췄다.

이제 약당에는 십여 명의 사람들만 남게 되었다. 태의

관의 수뇌부 셋과 강만리와 정유, 그리고 손을 들지 않은 일곱 명의 의관만이 이곳에 남았다.

그 일곱 의관은 모두 이십대 초중반의 젊은 자들로 다들 불안하고 초조한 기색을 감추지 못하고 있었다.

강만리와 정유는 일곱 의관을, 그중에서 몰래 약당 밖으로 빠져나가려 했던 네 명의 의관을 중점적으로 노려보았다. 젊은 의관들은 그 서슬 퍼런 분위기에 심장이 옥죄어 드는 듯 벌벌 떨며 어찌할 바를 몰라 했다.

"먼저 일곱 의관의 관등과 성명을 밝히시게."

정유는 사무적인 어조로 말했다.

마치 분위기가 형당(刑堂)의 취조실 같았다. 그 분위기만으로 등골이 오싹하고 절로 몸이 떨려왔다.

사실 평소 법을 지키고 행실이 바른 일반 백성들은 형당이나 아문의 취조실의 분위기가 어떠한지 알 리 없었다.

그러나 그곳에 끌려가 본 적이 있는 이라면 얼마나 그곳 분위기가 무섭고 두려우며 공포스러운지 공감할 것이다.

취조관(取調官)들의 표정, 목소리, 말투, 행동은 용의자를 겁박하고 겁에 질리게 했다. 그들이 탁자를 내리치거나 의자를 걷어차는 행동을 할 때마다 숨이 막히고 심장이 멈추는 듯한 공포를 느껴야만 했다.

그래서 그들에게 심문을 받고 취조를 당하게 되면 없는 죄까지 술술 털어 낼 수밖에 없었다.

지금 이 약당에 남아 있는 의관들의 심정이 딱 그러했다. 강만리와 정유의 표정에서, 몸짓에서, 목소리에서 풍기는 그 감당할 수 없는 살기에 의관들은 위축될 대로 위축이 되어 있었다.

그래서였다. 정유가 나지막하게 말하자마자 그들은 술술 자신의 관등과 성명을 밝혀 나갔다.

"태의관 소속 의생 양의종(梁義宗)이라고 합니다."

"태의관 소속 의생 안태경(安太庚)이라고 합니다."

"태의관 소속 의생……."

공교롭게도 일곱 명의 의관 모두 의생이었다.

의생이라는 관등은 태의관의 팔계 중 가장 하급의 품계로, 최소한 십 년을 들여서 의술을 익히고 상당한 의학적, 도덕적 품격을 갖춰야만 비로소 어의가 될 수 있었다.

태의원의 원사 조소금이 낮은 목소리로 소곤거렸다.

"다들 총명한 데다가 의술 공부를 열심히 하는 의생들입니다. 앞으로 삼사 년 안에 이목(吏目)이 될 재목들이죠."

이목은 어의 바로 밑의 품계로, 직급이 거기까지 오른다면 녹봉도 적지 않아서 생활하기가 한결 수월해졌다.

강만리는 잠시 젊은 의생들을 둘러보다가 무뚝뚝한 어조로 물었다.

"의생이라면 태의원 밖으로 나가 환자를 살피고 병을 치료하는 일은 하지 않소이까?"

조소금이 대답했다.

"그건 이목 이상이 되어야만 가능한 일입니다. 의생들은 태의원 내에서 의술 실력을 닦는 수련을 할 뿐입니다. 또한 어의와 이목의 지시를 받아 약을 조합하고 제조하는 일을 맡기도 합니다."

"그렇다면 당연히 수은도 다루겠구려."

"그렇습니다. 지금껏 수은은 활명보양강장(活命補陽强壯) 모든 약에 재료로 들어갔으니까요."

강만리는 다시 젊은 의관들을 둘러보며 물었다.

"원사께서 이리 말씀하시는데 어찌 그대들은 수은을 다루지 않았다고 주장하는가?"

젊은 의관들은 어찌할 바를 몰라서 고개를 조아렸다. 그러자 우원판 안우가 매서운 어조로 소리쳤다.

"태의원에서 쫓겨나고 싶더냐! 얼른 사실대로 고하지 못하고 뭘 하느냐?"

그의 엄한 호통에 깜짝 놀란 의관 하나가 황급히 입을 열었다.

"진, 진짜로 지금까지 차를 다뤄 본 적이 없습니다. 천지신명(天地神明)께 맹세코 사실입니다."

그러자 다른 의관도 덩달아 말했다.

"소생 역시 마찬가지입니다. 소생은 아직 삼급(三級) 이상의 약을 제조한 적이 없습니다."

"삼급?"

강만리는 조소금을 돌아보았다. 조소금이 허리를 굽히며 설명했다.

"궁내에서 제조하는 약의 단계입니다. 확실히 삼급 아래로는 수은이 들어가지 않습니다."

"으음, 그렇구려."

강만리는 다시 의관들을 둘러보며 물었다.

"다른 이들은?"

한 젊은 의생이 머뭇거리다가 제자리에 엎드려 머리를 박으면서 실토했다.

"죄송합니다. 수은이 독물이라는 말에 놀란 나머지 손을 들 엄두가 나지 않았습니다. 죽을죄를 지었습니다."

그러자 다른 의생들도 그를 따라 오체복지하면서 말했다.

"너무 겁에 질린 나머지 손을 들지 못했습니다. 죽을죄를 지었습니다."

나머지 의생들의 변명은 서로 비슷했다. 모두 겁에 질리고 당황한 나머지 손을 들지 못했다는 것이다.

강만리는 정유를 돌아보며 소곤거렸다.

"의심이 가는 자가 있느냐?"

정유는 의생들에게서 시선을 떼지 않은 채 나지막하게 대답했다.

"서너 명 됩니다."

"아직도 많군."

강만리는 쳇, 하면서 조소금에게 말했다.

"그러면 과연 이 의생들이 지금 한 말이 사실인지 확인해 주실 수 있겠소?"

조소금이 답했다.

"물론입니다. 수은은 워낙 귀하고 값비싼 물건이니만큼 언제 어떻게 누가 사용했는지 모두 기록이 남아 있으니까요."

"그럼 우선 이 일곱 의생의 말이 사실인지 확인해 주시고, 수은을 사용한 기록을 모두 가져다주시오."

"이들만으로 충분한 겁니까?"

"우선은 이들만으로 한정하는 것이오. 하지만 만약 이 자들에게서 아무런 혐의를 발견하지 못한다면 그때는 다른 의관들까지 조사해야 할 것이오."

거기까지 말한 강만리는 문득 일곱 의생을 돌아보며 갑자기 불호령을 내렸다.

"태자 전하를 암살하고자 한 대역죄인이오! 반드시 내가 그를 찾아서 그 죄를 물을 것이오!"

일곱 의생은 모두 벌벌 떨었다. 그중에서도 유난히 겁

에 질린 듯한 의생들이 몇 있었다. 강만리는 예의 날카롭고 세밀한 눈빛으로 그들을 지켜보았다.

그들은 바로 정유가 말했던, 그리고 강만리 본인도 그리 생각했던, 세 명의 유력한 용의자들이었다.

2. 신수지명(神手之命)

강만리와 정유가 그렇게 약당 안에서 일곱 의생을 취조하는 동안, 약당 밖에서는 구자육과 만해거사가 육십여 명의 의관들을 모아 놓고 홍과 차, 즉 수은이 지닌 위험성에 관해 설명하고 있었다.

의관들은 당연히 그들의 말을 믿지 않았다. 평생 배워오고 신봉해 온 진리가, 생전 처음 보는 자들의 말 몇 마디에 무너질 리가 없었으니까.

당연히 반론이 사방에서 터졌고, 어떤 의관들은 코웃음을 치며 고개를 외면하기도 했다.

그러나 구자육과 만해거사는 끈질기게 그들을 설득했다. 만해거사는 과거 자신이 서역에서 보고 겪은 이야기를 전했고, 구자육은 선사의 유언에 대해서 이야기했다.

"그게 꼭 정답이라는 보장이 어디 있습니까?"

의관 중 한 명이 냉랭한 목소리로 말했다.

"귀하의 선사가 그런 일을 겪고 또 그런 유언을 남겼다고 하지만, 내 사부는 전혀 다른 말씀을 남기셨습니다. 차를 지배하는 자가 불로불사를 얻을 것이라고 말입니다. 어찌 귀하의 선사가 옳고, 내 사부가 틀렸다고 할 수 있습니까?"

대부분의 의관들이 그의 말에 동조했다. 구자육은 잠시 망설이다가 입을 열었다.

"혹시 이 자리에 신수의가(神手醫家)와 관련된 분이 안 계시는지요?"

일순 떠들썩하던 의관들의 입이 다물어졌다.

신수의가라면 강호에서 제일 유명하고 뛰어난 의술을 지닌 명가(名家)였다.

일부 사가(史家)는 저 전설의 약왕문보다 훨씬 더 많은 업적을 남기고 유명 인사를 배출했다 하여, 신수의가야말로 천하제일의가(天下第一醫家)라고 주장하기도 했다.

물론 그 신수의가의 정통은 백여 년 전에 절맥(絕脈)했지만, 그 방계의 의가들은 아직도 대(代)를 이어 의술계에 종사하고 있었다.

구자육은 침묵하고 있는 의관들을 둘러보다가 차분한 어조로 말했다.

"신수지명(神手之命) 창선약왕(搶先藥王)."

－신수의 명으로 반드시 약왕보다 앞서게 하라.

그건 한 구의 시구 같기도 하고 혹은 격언처럼 들리는 말이기도 했다.

육십여 명 대부분의 의관들이 구자육의 말을 듣고 다들 의아해하는 표정을 지었다.

하지만 다음 순간, 네다섯 명의 의관이 갑자기 큰 소리로 구자육의 말을 따라 복창하듯 외치기 시작했다.

"신수지명 창선약왕!"

"신수지명 창선약왕!"

놀랍게도 그중 한 명은 조금 전까지 구자육에게 자신의 사부 운운하며 따지던 인물이었다.

의관들은 어리둥절한 표정으로 그렇게 외치는 동료 의관들을 쳐다보았다. 반면 구자육은 잠자코 그 의관들을 바라보다가 고개를 끄덕이며 입을 열었다.

"역시 이 자리에 계실 줄 알았습니다."

소리쳤던 의관들은 감격에 겨운 표정을 지으며 허리를 숙였다. 그러고는 떨리는 목소리로 구자육에게 말했다.

"방계 화천의가(和天醫家)의 연리봉(蓮理峰)이 삼가 신수의가의 후예께 인사드립니다."

"방계 소운의가(素雲醫家)의 금대광(金大光)이 삼가 신수의가의 후예께 인사드립니다."

다섯 명의 의관은 그렇게 구자육을 향해 진지하고 정중하게 자신들의 문파와 이름을 밝혔다.

가만히 그 광경을 지켜보던 의관들의 눈이 휘둥그레졌다. 그들은 믿을 수 없다는 표정을 지으며 구자육을 돌아보았다.

그건 만해거사도 마찬가지였다.

만해거사는 동그랗게 눈을 뜨고 구자육에게 물었다.

"약왕문이 아니라 신수의가의 후예였던 게냐?"

구자육이 씁쓸한 표정을 지으며 대답했다.

"그동안 그런 식으로 오해를 받아서 조금 속이 상하기는 했습니다."

"허어."

만해거사는 헛웃음을 흘렸다.

그때 화천의가의 연리봉이라는 의관이 구자육을 향해 입을 열었다.

"미처 본가(本家) 종주(宗主)를 알아뵙지 못한 점 용서하십시오. 하지만 무례라는 걸 알면서도 말씀드리겠습니다. 아무리 종주의 말씀이라 하더라도 차가 극독의 물질이라는 건 쉽게 받아들일 수가 없습니다."

역시 조금 전까지 반론을 펼치던 바로 그 의관이었다.

"그럼 어찌 설득해야 받아들일 수 있겠습니까?"

구자육이 한숨을 쉬며 말할 때였다. 만해거사가 어깨를

으쓱거리며 끼어들었다.

"백문(百聞)이 불여일견(不如一見)이라는 말이 있지 않은가? 말로 해서 안 될 때는 직접 보여 주는 게 가장 빠른 방법이지."

구자육의 눈이 커졌다.

"설마 차를 먹일 생각은……."

"왜 아니겠나?"

만해거사는 의관들을 둘러보며 말을 이었다.

"수은이 아직도 신비의 약재라고 믿는 자들에게 직접 먹여 보면 되는 일이지. 태의원에 있는 모든 수은을 한꺼번에 복용하면 과연 불로불사를 이루게 될지, 아니면 급성 중독 증상을 보이게 될지 금세 판가름이 날 테니까. 자, 그럼 누가 나서서 증명해 보겠나?"

만해거사의 말에 의관들이 다시 웅성거리기 시작했다.

비록 아직도 수은을 신이 내린 약물이라고 생각하는 의관들도 만해거사의 이야기에 사뭇 불안한 기색을 감추지 못했다. 어쨌든 수은이 독물이라는 이야기를 들은 이상, 아무도 쉽사리 앞으로 나서지 못했다.

"그건 안 됩니다."

구자육이 만해거사를 만류했다.

"그 결과를 뻔히 아는 실험을 굳이 할 필요가 어디 있습니까? 괜한 의관의 목숨 하나 빼앗는 일에 불과합니다."

"흠, 내가 언제 의관들의 목숨을 빼앗는다고 했나?"

"아니, 방금 말씀하신 게······."

"굳이 의관이 먹어 보지 않아도 되지 않을까 싶은데? 가령 사형을 앞둔 죄수가 있다면 그자에게 먹여 보는 것도 괜찮지 않을까?"

만해거사의 무자비한 제안에 구자육은 입을 다물었다. 하지만 의관들은 그럴 법하다고 여겼는지 다들 고개를 끄덕이며 찬동했다.

구자육은 속으로 한숨을 쉬며 중얼거렸다.

'나무아미타불······ 이러다가 지옥에 가지.'

* * *

"흠, 나쁘지 않은 실험 같습니다."

정유의 말에 강만리는 고개를 끄덕였다.

"꽉 막힌 의관들을 설득할 수 있는 가장 좋은 방법 같기는 하군그래."

"하지만 그 죄수의 생명은······."

"어차피 사형수가 아닌가?"

강만리는 구자육의 말을 중간에서 끊었다.

"그나저나 신수의가의 후예라니, 정말 놀라운 일일세. 우리는 여태까지 약왕문의 후예라고만 생각했는데 말이지."

구자육은 씁쓸한 표정을 지으며 말했다.

"신수의가의 후예라고까지 할 것도 없습니다. 이미 신수의가의 의술은 대부분 절전(絕傳)이 되어 그 명맥이 끊어졌으니까요."

"으음. 그건 또 무슨 연유로?"

"이야기하자면 깁니다. 게다가 지금 중요한 건 그게 아니니까요."

"하기는 그렇지. 지금 중요한 건 사형수를 데려다가 수은을 먹이는 일이니까."

"아무리 생각해도 그건 인도적인 방법이 아닌 듯싶습니다."

"너무 깊게 생각하지 말자고. 그냥 사형수에게 사약(賜藥)을 내린 셈 치면 되네."

강만리는 구자육의 어깨를 다독이고는 사람을 시켜서 조자헌을 불렀다. 영문도 모른 채 불려 온 조자헌은 강만리의 난데없는 사형수 타령에 어리둥절한 표정을 지으며 말했다.

"사형수가 어찌 황궁 내에 있겠소? 아문(衙門)에 수소문해 봐야 할 것이오."

"그럼 부탁드립니다. 최대한 빨리 사형수를 구해 주시기 바랍니다."

그렇게 조자헌에게 부탁한 강만리는 다시 조소금을 돌

아보며 말을 이었다.

"원사께서도 태의원에 있는 수은을 모두 챙겨 주시기 바라오. 과연 수은이 독물인지 아닌지 확인해야 하니 말이외다."

상황은 그렇게 정리되었다.

약당에 있던 일곱 명의 의관들은 그 혐의가 풀릴 때까지 태의원에 감금되었고, 나머지 의관들은 모두 본래의 업무로 돌아갔다.

그렇게 모든 의관들이 떠난 지 얼마 지나지 않아 한 무리의 궁녀들이 저마다 상을 들고 강만리 일행이 머무는 별채를 찾아왔다.

"식사가 대령했습니다."

문을 지키던 위사가 객청 앞으로 달려와 소리쳤다. 화군악이 입맛을 다시며 중얼거렸다.

"우리도 드디어 상선감(尙膳監) 요리를 맛보는 건가?"

정유가 눈살을 찌푸리며 말을 받았다.

"상선감 요리는 황제 폐하와 황족들만 드실 수 있다네."

"그럼 지금 가지고 온 것들은요?"

"어디 각전(各殿)에 딸린 주방 중 한 곳에서 만든 음식일 거야."

정유의 추측은 정확했다.

당시 궁내(宮內)의 일반 환관이나 궁녀들은 그들이 속한 전(殿)에 딸린 주방에서 만든 음식으로 식사를 했다.

그들의 식단은 매우 엄격하여서 하루에 돼지고기 한 근 이하, 쌀 다섯 수저, 그리고 약간의 곡식과 야채가 식단의 전부였다.

그래서 말단 궁녀들은 부족한 식사량으로 인해 배를 곯기도 했으며, 환관들은 몰래 웃돈을 주고 상선감이나 다른 주방의 음식을 얻어먹기도 했다.

물론 강만리 일행의 식사는 달랐다. 궁녀들이 들고 온 음식들은 모두 태자전(太子殿)에서 준비한 것들이었다.

"태자 전하께서 신경 써서 준비하라는 당부가 있으셨습니다."

선임 궁녀의 말이 아니더라도, 확실히 궁녀들이 들고 온 상에는 이십여 가지의 요리들이 차려져 있었다.

돼지고기와 닭고기, 오리구이 등 고기류는 물론이거니와 십여 가지의 산채 요리, 면과 만두 교자, 국물 요리까지 객청 탁자 가득 화려하고 푸짐하게 놓았다.

"그럼 맛있게 드시기 바랍니다. 한 시진 후, 그릇을 찾으러 오겠습니다."

궁녀들은 그 말을 남기고 다시 별채를 떠났다.

"확실히 전하께서 신경 좀 쓰셨군그래."

화군악이 고개를 끄덕이며 감탄했다.

"흠, 굳이 이렇게 하지 않아도 되는데 말이지. 우리가 먹을 음식은 우리가 준비할 수 있으니까."

강만리가 마뜩잖다는 듯이 중얼거리자, 예예가 그의 허벅지를 꼬집으며 말했다.

"괜히 여인네들 피곤하게 만들지 말고 맛있게 드세요."

"아아, 그렇지? 괜히 이것저것 만들어 먹으려면 그것도 제법 손이 가는 일이니까."

강만리가 헛기침을 하며 자리에 앉았다.

어른들뿐만 아니라 식사를 하러 나온 아이들까지 해서 객청은 영 소란스럽기 그지없었다. 방금 구운 고기 냄새에 홀린 아이들이 저마다 탁자 위로 손을 뻗었다.

그때였다.

"잠깐만요. 다들 조금만 기다리세요."

구자육이 황급히 사람들을 말리면서 침구(鍼具)를 펼쳤다. 그러고는 가늘고 긴 은침(銀鍼)을 꺼내 들어 고기, 국, 산채 할 것 없이 요리마다 푹푹 찌르기 시작했다.

"응?"

강만리의 눈매가 가늘어지는 순간이었다. 탕국에 은침을 넣고 휘휘 젓던 구자육이 그럴 줄 알았다는 표정을 지으며 말했다.

"독(毒)입니다."

구자육이 들고 있는 은침이 검게 물들어져 있었다. 동

시에 사람들의 얼굴이 딱딱하게 굳어졌다.

3. 믿을 수 없다

탁자 위에 가득 놓였던 모든 요리가 버려졌다. 고기 맛을 보지 못한 아이들이 울고불고 난리를 피우는 바람에 객청은 난장판이 되었다. 여인들은 아이들을 달래는 한편, 채석장에서 가지고 온 쌀로 부랴부랴 밥을 짓기 시작했다.

"믿을 수 없다."

강만리는 한숨을 쉬며 고개를 저었다.

"설마 우리까지 독을 사용하여 죽이려 들다니."

화군악이 그의 말을 정정했다.

"우리가 아니라 형님인 겁니다. 그 바람에 우리 모두 곁다리로 끼게 된 거고요."

강만리는 화군악을 노려보면서 입을 열었다.

"태자전의 주방에서 만든 요리들이다. 다시 말해서 태자 전하도 위험할 수 있다는 거지."

"그건 아닌 것 같습니다."

장예추가 오래간만에 입을 열었다. 사람들이 모두 그를 돌아보았다. 장예추는 신중한 얼굴로 말을 이었다.

"만약 태자 전하를 죽이려 들었으면 이미 오래전에 손을 썼을 겁니다."

"손이야 벌써 쓰지 않았나?"

"수은과는 또 다른 거죠. 이번 탕국에 들어 있던 독은 그야말로 그 자리에서 즉사하게 만드는 극독이었습니다. 반드시 우리, 아니 형님을 죽이겠다는 사악하고 악랄한 의도를 가진 독인 겁니다."

"으음, 하지만 태자 전하에게 사용한 수은은 그게 아니다?"

"그렇습니다. 아주 소량의 수은을 오랫동안 투약하여서 아무도 모르게 병들게 만드는 수법이니까요."

"그럼 태자 전하에게 이 극독을 사용할 가능성은 희박한 셈이군."

"안 그럴까요?"

"아니, 자네 말에 일리가 있네."

강만리는 순순히 자신의 실수를 인정했다.

"내가 너무 과민하게 반응한 것 같아. 하마터면 우리 모두, 심지어 우리의 아이들까지 죽을 뻔한 사실에 잠시 이성적으로 생각하지 못했네."

"그러니까요. 도저히 가만 놔둘 수 없는 일입니다."

이번에는 화군악이 말했다.

"누구인지는 모르겠지만 제대로 본때를 보여 줘야 합

니다. 감히 우리에게 하독한 그 대가를, 반드시 치르게
만들어야 합니다."

"물론이다."

강만리는 고개를 끄덕였다.

"설령 그가 황족일지라 하더라도 말이지."

일순 사람들의 눈빛이 빛났다. 잠자코 있던 담우천이
그의 말에 숨어 있는 의미를 파악한 듯 입을 열었다.

"의심 가는 황족이 있나 보군그래."

"네, 있습니다."

강만리는 망설이지 않고 말했다.

"사실 그럴 리가 없을 거라고 생각해서 그동안 입 밖에
내지 않았던 인물이 한 명 있습니다."

"그게 누군가?"

만해거사가 빠른 어조로 물었다. 강만리는 한 번 더 생
각한 후 입을 열었다.

"태자비입니다."

"으응?"

"태자비요?"

"설마 태자 전하의 그 태자비를 말씀하시는 겁니까?"

사람들이 놀라 저마다 황급히 물었다.

강만리는 진지한 표정을 지은 채 고개를 끄덕였다.

"그렇습니다. 바로 그 태자비가 의심스럽습니다."

"허어."

만해거사는 믿을 수 없다는 듯 한숨을 내쉬었다. 강만리는 낮은 어조로 소곤거리듯 말을 이었다.

"사실 태자비를 뵙고 나올 때만 하더라도 전혀 눈치채지 못했습니다. 하지만 구 당주와 만해 사부와 대화를 나누다가 문득 이상한 점을 깨달았죠."

"우리와 대화를 나누면서?"

"그렇습니다. 홍과 차가 극독이라는 걸 아는 사람이 거의 없다고 하셨잖습니까?"

"그렇지. 그런데 그게 왜?"

만해거사의 물음에 강만리의 이어지는 목소리가 더욱 낮아졌다.

"그런데 태자비께서는 홍과 차가 극독이라는 이야기에 전혀 의심을 품지 않으셨습니다."

강만리는 이어 사람들에게 태자비와 나눴던 대화를 들려주었다.

─그래, 전하께서 홍과 차에 중독이 되었다는 진단을 내렸다고 하던데 사실이오?

─사실입니다.

─으음, 나는 믿을 수가 없소. 전하께서는 뭇 사람들의 존경과 신뢰, 충성을 받고 계시오. 그런데 어느 악독한

자가 감히 전하를 시해하려 든단 말이오?

"당시 나는 태자비께서 전하의 중독에 관한 이야기를 이미 알고 있구나 생각만 했습니다. 전하의 주변에 태자비의 눈과 귀가 있구나, 하고 말입니다. 그래서 태자비가 홍과 차의 중독에 대해 전혀 의심하지 않는다는 걸 놓치고 말았죠."

강만리는 한숨을 쉬며 말을 이었다.

"태의원의 의관들마저 수은의 중독성에 대해 끝까지 인정하지 않으려고 하는데, 어찌 태자비는 한 마디 의심의 말을 하지 않았을까요?"

"으음."

만해거사를 비롯한 사람들의 표정이 딱딱하게 굳어졌다. 심지어 구자욱의 안색은 새파랗게 질려 있었다.

"그럼 태자비가 태자 전하께 수은을 하독했다는 건가? 왜? 무슨 이유로?"

담우천이 묻자 강만리는 고개를 저었다.

"그야 아직 모릅니다. 그리고 또 그 이유를 모르기 때문에 지금껏 함구하고 있었던 것이고요."

"하기야 확실한 증거 없이 태자비를 범인으로 지목할 수는 없는 노릇이지."

만해거사의 말에 이번에는 화군악이 끼어들었다.

"그럼 태자비가 형님까지 죽이려 한 걸까요?"

강만리는 이번에도 고개를 저었다.

"아니, 그것도 모르지. 하지만 태자전에 태자비의 눈과 귀가 있었으니 어쩌면 손도 있을지 모르지."

"그 손으로 태자 전하께 수은을 하독했을 수 있고요?"

"그것도 모른다니까, 아직."

강만리는 조금은 퉁명스러운 어조로 말을 이었다.

"황궁에는 어제 도착했다고. 내가 천재도 아니고 하루 만에 모든 걸 알 리가 없잖은가? 아직 조사할 것도, 만나서 이야기해 볼 사람도 많이 남아 있으니까."

"그렇죠, 하기는."

화군악이 고개를 끄덕이며 말했다.

"그럼 우리가 할 일은 크게 두 가지네요. 하나는 독에 당하지 않도록 조심하는 것, 그리고 한시라도 빨리 증거를 찾아서 흉수를 확정 짓는 것, 이렇게 말이죠."

"독만 유의하면 안 될 것 같아."

장예추가 말했다.

"만약 독이 먹혀들지 않았다는 사실을 알게 되면 전혀 다른 방법을 사용할 테니까. 가령 암살이나……."

정유가 이어 말했다.

"모함이나."

강만리의 얼굴이 딱딱하게 굳어졌다.

* * *

"믿을 수 없다."

주완룡은 고개를 저었다.

"그대들의 음식에 독을 풀다니, 어찌 그런 일이 있을 수 있단 말인가?"

만해거사의 추궁과혈 덕분이었을까, 아니면 구자육의 해약(解藥) 덕분이었을까. 어제보다 훨씬 혈색이 좋아진 주완룡은 도저히 믿어지지 않는다는 얼굴로 그렇게 말했다.

"믿을 수 없지만 사실입니다, 대사형."

강만리는 침중한 표정으로 대답했다.

"궁녀의 이야기로는 태자전의 요리라 했습니다."

"그래. 내가 특별히 신경 쓰라고 언질을 주었다."

"아마도 태자전의 주방에 못된 손이 있는 것 같습니다. 그 손이 대사형께 수은을 하독했고, 또한 우리들에게 독을 푼 탕국을 보낸 것 같습니다."

"주방의 숙수와 내인(內人)은 모두 믿을 수 있는 자들이다. 최소한 십 년 이상 나와 내 식솔들을 먹여 온 자들이다. 그런데 그중 누가, 어찌해서 그런 악독한 짓을 하겠느냐?"

"이제부터 조사할 작정입니다."

"아니다. 내 친히 그들을 불러 문초를 하마."

주완룡의 말에 강만리가 손사래를 치며 반대했다.

"그건 절대 안 됩니다, 대사형."

주완룡의 눈빛이 가늘어졌다. 강만리는 빠른 어조로 말을 이어 붙였다.

"물론 대사형께서 친히 문초를 하시면 어쨌든 독을 푼 자는 대사형의 위엄을 거스르지 못하고 자백할 가능성이 큽니다."

"그런데 왜?"

"하지만 그 뒤에 있는 진정한 범인은 잡을 수 없게 될 지도 모릅니다."

"그건 또 무슨 말이더냐? 내 위엄을 거스르지 못하고 자백한다면서 누가 시켰는지에 관해서는 입을 다물 거라 니, 그게 말이 되는 소리이더냐?"

"그게 그러니까……."

강만리는 머뭇거렸다. 난감한 기색이 그의 얼굴을 스치고 지나갔다.

어쩌면 태자비가 그 배후의 인물이고, 그러니 감히 태자비의 이름을 언급하지 못할 거라는 이야기는 절대 할 수 없었다. 만에 하나 태자비가 아닐 경우에 벌어질 뒷감당은 강만리조차 감당할 수 없었다.

'쳇, 내가 두 번 다시 황궁에 오나 봐라.'

강만리는 속으로 한숨을 내쉰 후, 고개를 들어 주완룡을 똑바로 바라보며 말했다.

"무엇보다 걱정인 이유는 따로 있습니다. 태자 전하께서 부르신다는 걸 알게 된다면 그 자리에서 자결할 가능성이 매우 크기 때문입니다."

"흐음."

주완룡은 강만리의 말에 일리가 있다고 여긴 듯 고개를 끄덕였다.

강만리는 그 틈을 놓치지 않고 빠르게 말했다.

"그러니 이번 일은 모른 척, 끝까지 제게 맡겨 주십시오. 최대한 이른 시일 안에 흉수를 찾아내겠습니다."

강만리는 한숨을 돌린 후 말을 이었다.

"어쨌든 태자 전하는 물론 저와 제 식구들의 목숨까지 걸려 있는 일이니까요."

주완룡은 잠시 생각하다가 천천히 입을 열었다.

"대사형이라고 했지?"

강만리는 몰래 한숨을 내쉬며 고개를 숙였다.

"네, 대사형."

5장.
태감(太監)

궁내에 있는 모든 주방 인력을
마음대로 좌지우지하고 해고하거나 뽑을 수 있는 권한을 가진 환관들,
그 환관들을 관리하고 각 주방에 파견을 보내는 상선태감(尙膳太監).
그래서 상선감이 십이감(十二監) 중에서도
세 손가락 안에 드는 막강한 권력을 쥐게 된 것이었다.

1. 구실아치

황제의 식사는 상선감에서 준비한다.

상선감에서는 매끼마다 대략 오륙십 가지의 서로 다른 찬과 요리를 만들어 나오는데, 물론 황제는 그것들을 다 먹지 못한다. 불과 서너 종류의 요리로 배를 채우고, 나머지는 손도 대지 않은 채 상을 물린다.

그렇게 남은 요리들은 곧 비빈과 황자, 공주 등 황족과 아끼는 대신들에게 하사되었다. 그러니 황태자 주완룡이 굳이 따로 주방을 두고 식사를 만들어 먹을 필요는 없었다.

하지만 태자전에는 주완룡만 기거하는 게 아니었다. 그

의 수발을 들고 시중을 드는 궁녀와 환관, 또 그들에게
지시를 받고 허드렛일을 하는 자들까지 해서 백 명 이상
의 사람들이 태자전에서 일했다.

그들이 먹고마시는 것까지 상선감에서 담당할 리가 없
었으니, 당연히 태자전 구석진 자리에 주방을 만들어 그
들에게 식사를 제공해야 했다. 그리고 그건 다른 전(殿)
과 궁(宮)들의 경우에도 마찬가지였다.

게다가 사실 황제가 먹는 상선감의 음식들은 무엇보다
맛이 없었다. 무미건조한, 달거나 짜거나 맵거나 신맛을
배제한, 영양학적으로는 최고이지만 맛으로는 확실히 떨
어지는 요리들이 대부분이었다.

대륙 최고의 숙수들이 모인 상선감에거 그런 요리들이
나오는 건 크게 두 가지 이유에서였다.

하나는 황제의 신변을 보호하기 위함이었다.

황제는 맛있는 걸 함부로 먹을 수가 없었다. 황제가 두
번 집어 먹은 음식은 이후 한 달 동안 상에 오를 수가 없
었다. 세 번 먹은 음식은 일 년 이상 상에 오르지 못했다.

황제가 좋아하는 음식이라고 알려지게 되면 누군가 그
음식에 독을 탈 확률이 매우 높아지기 때문이었고, 또 그
걸 경계하기 위해서 일부러 상에 올리지 않게 되었다.

다른 하나는 황제에게 식탐이 생기면, 밑에서 일하는
자들의 목숨이 위험해지기 때문이었다.

황제가 원하는 건 언제든지 곧바로 제공해야 하는 게 신하된 자들의 의무였다. 그리고 음식과 요리와 과일과 차 등을 제공하는 건 상선감에서 일하는 환관들의 몫이었다.

환관들이 황제의 요구를 충족시켜 주지 못하면 대역죄를 지는 게 되어 그 책임을 물어야 했다. 그런 까닭에 상선감에서 일하는 환관들은 황제가 문득 '아, 그게 맛있었지? 그걸 먹고 싶구나' 하는 말을 하지 않도록 주의하여 음식의 맛을 조절했다.

평생을 황궁에서 타고 자라 생활한 황제나 황자, 세손들은 그 상선감의 맛이 대륙 최고의 맛이라고 착각하며 식사를 한다.

당연한 일이다. 어쨌든 상선감에는 대륙 전역에서 차출한, 그야말로 최고의 숙수들이 일하고 있었으니까.

하지만 황족들은 그 최고의 숙수들이, 상선의 환관들의 요구에 따라서 음식 맛을 조절하여 만든다는 걸 전혀 알지 못했다.

그러나 주완룡은 달랐다.

젊었을 적부터 미복잠행(微服潛行)하기를 즐겨 하던 그였다. 재작년에는 강만리를 만나기 위해서 북경부에서 성도부까지 대륙을 횡단하기도 하였다.

그는 시장통에서 동전 한두 푼짜리 국수도 먹어 보았고, 고급 주루에서 은자 백 냥짜리 요리도 먹어 보았다.

비록 미식(美食)까지는 아니더라도 대륙의 모든 음식을 섭렵한 그였기에, 상선감의 그 무미건조한 맛이 입에 맞을 리가 없었다.

그는 왕이 하사한 요리 대신 자신이 직접 고른 숙수들이 요리하는 음식을 즐겨 먹었다. 그런 연유로 태자전의 주방에는 다른 주방보다 배는 많은 숙수와 사람들이 일하고 있었으니, 그 수가 무려 육십 명에 이르렀다.

강만리는 한숨을 쉬었다.

'하루에 수천 그릇의 요리를 만들어 내는 태왕루(太王樓)의 주방에서 일하는 사람들보다 많네.'

지금 강만리의 앞에는 육십 명에 달하는 태자전 주방 사람들이 나란히 늘어서 있었다. 주완룡을 알현하고 난 후 강만리는 곧바로 주방을 급습, 그곳의 사람들에 대한 조사를 진행하려 하는 참이었다.

주방 한구석에서는 주완룡의 저녁 식사 준비를 하는 듯 커다란 솥에서 뭔가 맛있는 냄새를 풍기는 국이 끓고 있었는데, 줄 앞쪽에서 서 있던 숙수 한 명이 계속 뒤돌아보며 신경을 썼다.

태자전의 주방을 관리하는 환관이 그 숙수를 가리키며 말했다.

"이곳 주방을 총괄하는 대숙수(大熟手)입니다. 그 뒤에 있는 여섯 명의 숙수와 함께 훈(葷), 소(素), 과로(鍋爐),

반(飯), 생과(生果) 등 모든 요리를 감독하고 있습죠."

훈(葷)은 곧 육류 요리를 말했고, 소(素)는 야채 요리를 뜻했다. 화로를 전문적으로 담당하는 걸 과로(鍋爐)라 하며, 밥을 담당하는 건 반(飯), 그리고 후식과 관식, 차와 화채, 죽 등을 담당하는 걸 생과(生果)라고 했다.

상선감에는 그 부서들이 따로 분류되어 있었지만, 궁과 전의 주방에는 두어 명의 숙수들이 그 모든 걸 한꺼번에 다루는 게 일반적인 관례였다.

환관의 소개는 계속해서 이어지고 있었다.

"그 뒤로는 주방상궁(廚房尚宮)과 주방내인(廚房內人)들입니다."

강만리는 눈을 가늘게 뜨고 그들을 바라보았다. 상궁 한 명에 내인이 열 명 정도 되었다. 주방상궁은 삼십대 초중반의 여인이었고, 나인이라고도 불리는 내인들은 모두 십대 중후반에서 이십대 초반의 젊은 여인들이었다.

"그 뒤로는 차비(差備)들로, 각각 별사옹(別司饔), 상배색(床排色)들인데, 뭐 기억해 둘 만한 별칭은 아닙니다."

강만리는 환관의 말을 들으며 가장 뒤쪽 줄에 서 있는 사람들을 둘러보았다.

차비(差備)는 각 궁사(宮司)의 최하위 고용인들로, 이서(吏胥), 이속(吏屬), 아전(衙前)들과 함께 그들을 총칭하여 벼슬아치 밑에서 일하는 구실아치라고 부르기도 했다.

별사옹(別司饔)은 숙수와 나인들을 도와 음식을 만드는 구실아치를 가리켰고, 상배색(床排色)은 나인들을 보조하여 음식상을 차리는 구실아치를 뜻했다.

그렇게 환관의 소개가 끝난 후, 강만리는 나란히 늘어선 줄을 따라 천천히 걸으며 주방 식구들의 면면을 훑어보았다.

대숙수를 제외하고는 감히 강만리와 시선을 마주치려는 자가 없었다. 다들 영문도 모른 채 겁에 질린 얼굴로 고개를 숙이고 있을 따름이었다.

강만리는 그렇게 줄 끝까지 걸어갔다가 다시 앞으로 걸어 나왔다. 그러고는 대숙수를 바라보며 입을 열었다.

"오늘 동궁 별채에 나간 탕국은 누가 담당했는가?"

대숙수는 차분한 어조로 대답했다.

"소인이 총괄했습니다."

"담당자가 누구인지 물었다."

"그건……."

대숙수가 망설이자 바로 뒤에 서 있던 숙수가 황급히 입을 열었다.

"탕국은 소인의 소관입니다."

강만리는 그를 바라보며 물었다.

"이름이 어찌 되느냐?"

"배이집(裴二集)이라고 합니다."

강만리는 고개를 끄덕이며 물었다.

"그럼 형님의 이름은 일집(一集)이고?"

배이집이라고 자신을 소개한 숙수의 눈이 휘둥그레졌다.

"아니, 그걸 어찌 아셨습니까? 혹시 형님을 아십니까?"

강만리는 대답 대신 다시 질문을 던졌다.

"자네 말고 탕국에 손을 댈 수 있는 자가 또 누가 있지?"

"소인이 총괄합니다."

대숙수가 얼른 입을 열었다. 강만리는 무뚝뚝하게 말했다.

"자네 말고, 배 숙수 밑으로 말일세."

배이집은 저도 모르게 뒤를 돌아보았다. 두 명의 내인과 세 명의 별사옹이 동시에 고개를 숙였다. 강만리는 그 순간을 놓치지 않았다.

"자네들 다섯 명은 앞으로 나오게."

두 명의 어린 여인과 세 명의 사내가 후들거리는 걸음걸이로 걸어 나왔다. 강만리는 뒷짐을 진 채 천천히 그들 주위를 맴돌았다.

그 무형의 압박감을 견디지 못한 것일까, 마음 약해 보이는 나인 한 명이 기절하듯 제자리에 주저앉았다.

강만리가 손을 뻗어 그녀를 부축해 일으키는 동시에, 그녀의 손과 얼굴을 동시에 훑어보았다. 문득 그의 뇌리로 만해거사가 이야기했던 말이 떠올랐다.

－명심하게. 몰래 하독한 자는 반드시 그 티가 나는 법일세. 극독을 다루는 전문적인 암살자가 아닌 이상에는 반드시 실수를 범하기 마련이지.

　타인을 절명케 하는 독은 곧 자신도 죽일 수가 있었다. 행여 눈에 튀어 들어가거나 잘못 호흡하거나, 마시거나 혹은 손에 묻거나 하는 실수를 범하기라도 하는 날에는 시전자도 죽을 수 있는 게 극독이고 절독이었다.

　그런 맹독을 일반 사람이 다룬다? 당연히 겁에 질린 상태였을 것이다. 초조하고 불안한 마음에 손이 벌벌 떨리고 눈앞이 제대로 보이지 않았을 것이다.

　어디엔가 반드시 실수의 흔적이 남아 있을 게 분명했다.

　'게다가 탕국에 독을 푼 지 두 시진도 채 지나지 않았다. 옷을 갈아입을 시간도 없었거니와 또 함부로 옷을 갈아입지도 않았을 것이다. 어쨌든 사람들의 눈에 띄일 게 분명하니까.'

　강만리가 조금 전 사람들을 지나 끝까지 걸어갔다가 걸어온 건 바로 그 때문이었다. 주방 사람들의 옷과 신발 등에 이물질이 묻어 있거나 특이한 현상이 남아 있지 않을까 확인했던 것이다.

　하지만 눈에 띄는 건 없었다. 신발 밑창 쪽으로 음식물 찌꺼기와 기름 등의 불순물이 묻어 있을 뿐, 독을 사용했다는 증거는 어디에도 보이지 않았다.

강만리가 부축하여 일으켜 세운 여인도 마찬가지였다. 담호보다 겨우 두어 살 나이가 많아 보이는, 아직 여인이라고 하기에는 아이티가 풀풀 나는 나인이이었다. 그녀가 주저앉은 건 단지 강만리의 험상궂은 얼굴과 체형, 눈빛에서 풍기는 위압감을 견디지 못했을 뿐이었다.

강만리는 곁의 나인에게 그녀를 건네준 후 다시 앞으로 나온 이들의 면면을 훑어보았다. 그리고 더욱 서슬 퍼런 목소리로 말했다.

"이들이 전부가 아닐 텐데?"

그는 일부러 스산하고 흉악한 살기까지 풀풀 풍기며 말했다.

"탕국에 가까이 다가선 자들이 더 있을 텐데? 탕국에 손을 댄 자들 말고도 그 근처에 가까이 다가간 자들은 모두 앞으로 나와라."

모든 걸 다 알고 있다는 식의 으름장이었다.

"만에 하나 지금 나오지 않다가 걸린다면 그년놈들은 물론, 아비와 어미까지 모두 목숨을 잃게 될 것이다!"

강만리는 범처럼 호령했다.

포두 시절 온갖 흉악범을 문초한 그였다. 온갖 방식으로 위협하고 협박하고 어르고 달래기를 반복하면서 결국 놈들이 스스로 실토하게 만든 그였다.

그러나 생각 외였다. 언뜻 보기에는 그저 정원의 화초처럼 곱게 자란 듯한 주방 사람들이었지만 의외로 강단이 있고 입이 무거운 자들이었다.

하기야 그들 모두 구중심처 태자전에서 일하는 자들이었으니, 강단이 있고 입이 무거운 게 당연할지도 몰랐다.

몇 번이고 거듭된 위협과 협박에도 쉽사리 사람들이 나서지 않자, 강만리는 내심 길게 한숨을 내쉬었다.

'이런, 이런. 생각보다 일이 쉽지 않겠는걸?'

이제 어찌한다?

이대로 물러나는 건 영 마음에 들지 않는 일이다. 그렇다고 마냥 이들을 붙잡고 있을 수도 없었다. 또 그렇다고 독이라는 단어를 입에 올릴 수도 없었다.

소란은 최소화해야 했다. 태자의 주방에서 누군가 독을 풀었다는 소문이 퍼지게 할 수는 없었다.

그게 가장 큰 난관이었다. 독이라는 단어를 전혀 사용하지 않은 채, 독을 사용했다는 사실을 사람들이 전혀 모르는 상황에서 하독한 자를 찾아내야 하는 것이다.

"무슨 일이신지는 모르겠지만……."

한쪽 구석에 서서 가만히 지켜보던 환관이 조심스레 입을 열었다.

"이제 그만하셔야 할 것 같습니다. 태자 전하의 저녁 식사를 준비 중이라서 말입니다."

"흠, 그렇게 합시다."

강만리는 난감한 표정을 애써 감추며 말했다. 환관이 주방 사람들을 둘러보며 말했다.

"그럼 다들 제자리로 돌아가도 좋네."

줄을 섰던 주방 사람들이 황급히 제자리로 돌아갔다. 대숙수는 짜증 난다는 표정을 감추지 않은 채 큰 소리로 외쳤다.

"탕을 버리고 새로 끓여라! 누가 시간을 잡아먹는 바람에 너무 졸아 맛을 버렸다."

강만리는 자기 들으라는 듯 크게 외치는 대숙수의 말에 "허험." 하고 헛기침을 했다.

"이해해 주십시오."

환관이 웃는 낯으로 말했다.

"워낙 자신의 요리에 자부심을 지닌 숙수라서요."

"뭐 대부분의 뛰어난 숙수들이 다 그렇기는 하죠."

"이해해 주시니 감사합니다. 그럼 이쪽으로……."

환관이 손을 내밀며 길을 안내하려 했다.

그때였다.

난감한 표정을 지으며 어색하게 웃던 강만리의 눈빛이 일순 번개처럼 반짝였다.

지금 강만리를 안내하기 위해 손을 앞으로 내민 환관, 그 옷소매 아랫단이 얼룩진 것처럼 검게 타들어 가 있는 걸 발견한 것이다.

2. 주방태감(廚房太監)

여태까지 두 손을 모으고 꽁꽁 감췄던 소매였다. 무의식적으로 길을 안내하기 위해 내민 손이 하필 그 감춰 둔 소매가 있는 오른손이었다.

오랜 환관 생활을 하면서 습관으로 배인 길 안내, 그 손동작이 강만리의 시선에 잡힌 것이다.

언뜻 보면 소매 아랫단에 먹물 한 점이 묻은 듯 보였다. 사실 붓으로 글을 쓰다가 먹물이 튄 것일 수도 있었다.

하지만 강만리의 천조감응진력으로 강화된 시력은 그 검은 부분이 아주 지독한 무언가에 의해 변색이 되고 타들어 간 흔적임을 알아차렸다.

강만리는 한 점 표정의 변화 없이 환관의 안내를 받아 주방을 나섰다. 그의 등 뒤에서 대숙수가 크게 외치는 소리가 들렸다.

"소금을 뿌려라!"

강만리는 애써 못 들은 척 무심한 표정을 지은 채 주방을 빠져나갔다.

　　　　　　　　　* 　* 　*

　"유상문(劉尙文)이라고 하외다. 상선감에서 일하다가
작년 초에 차출되어 왔소이다. 요리 실력도 뛰어나고, 훌
륭한 미각을 지녀서 태자 전하께서 매우 흡족해하셨죠.
그런데 그가 왜요?"
　조자헌이 주방태감(廚房太監)에 대해서 이야기하다가
문득 의아하다는 표정을 지었다.
　"아니, 궁금해서."
　강만리는 별것 아니라는 투로 말했다.
　"왜 환관이 주방을 총괄하나 해서 말입니다."
　"아…… 상선감에서 보낸 환관이니까요."
　조자헌은 당연하다는 듯이 말했다.
　주방에서 가장 높은 자는 대숙수가 아니었다. 궁내 각
전, 각궁의 주방은 모두 상선감에서 파견된 환관이 관리
하고 있었다.
　궁내에 있는 모든 주방 인력을 마음대로 좌지우지하고
해고하거나 뽑을 수 있는 권한을 가진 환관들, 그 환관들
을 관리하고 각 주방에 파견을 보내는 상선태감(尙膳太
監). 그래서 상선감이 십이감(十二監) 중에서도 세 손가
락 안에 드는 막강한 권력을 쥐게 된 것이었다.

강만리는 잠시 생각하다가 다시 입을 열었다.

"그래도 주방태감이라고 하는 걸 보면 그자의 지위가 꽤 높은 편인가 봅니다. 주방태감 중에서도 태자 전하의 주방태감이니 말이죠."

"꼭 그렇지는 않소이다."

조자헌은 고개를 저으며 말했다.

"사실 주방태감이라는 직위가 따로 있는 게 아니외다, 그저 나름대로 대접해서 높여 부르는 의미로 사용할 뿐이지요. 그러니 일반 상선태감 같은 태감들과 비슷한 직위라고 생각하면 안 되오."

원래 태감은 곧 상선감 등을 비롯한 십이감(十二監)의 우두머리들을 가리키는 칭호였다. 그 외에는 모두 같은 환관이었으나, 세월이 지나면서 직책을 가진 중견 환관들을 대우하는 차원에서 태감이니 노공(老公)이니 하는 칭호를 사용하기 시작했다.

물론 시대에 따라서 문서상의 칭호는 여럿 있었다. 엄인, 엄신, 중관, 내관, 내신, 내시, 태감, 내감 등이 환관을 칭하는 서로 다른 호칭이었다.

이 시대의 환관은 역대 모든 황조(皇朝)를 통틀어 가장 많은 수의 환관이 궁내에 있었다. 가장 많을 때는 환관의 수만 십만에 이르렀고, 아무리 적어도 칠만 명 밑으로 떨어지지 않았다.

그렇게 환관들이 많다 보니 맡인 직책이나 권한, 자리, 누구를 보좌하느냐, 혹은 얼마나 오래 있었으냐에 따라서 환관들을 부르는 호칭이 달라졌으며 그에 따라 직급과 서열이 정해졌다.

그리하여 십이감의 수좌인 정사품 태감이 환관의 최고봉이 되었고, 그 아래로 종사품인 좌우소감(左右少監)이 있었고 정오품의 품계인 좌우감승((左右監丞)을 두었다.

다시 그 밑으로 정육품 전부(典簿), 종육품인 장수(長隨), 봉어(奉御)가 있으며 그 밑으로는 따로 품계를 두지 않았다. 혹 황제나 태감이 기분이 좋거나 혹은 상을 줄 필요가 생겼을 때 팔품(八品)의 품계를 주기도 하였다.

조자헌은 책상 뒤쪽의 책장에서 서류를 뒤적거리다가 유상문의 체수본(遞手本)을 찾아 꺼냈다. 자신의 약력(略曆)과 신상명세(身上明細)를 모두 적어서 상부에 보고해 올리는 서류가 바로 체수본이었다.

"가만있자, 그가 입궁한 지는 십오 년이 되었소. 상선감에서는 오 년 정도 근무했는데 제법 미각이 뛰어나서 상선태감의 총애를 받았다고 하는구려. 이후 황비 마마의 주방에서 사오 년가량 주방태감으로 일했고, 태자전의 주방태감으로 온 건 이 년이 채 안 되오."

눈을 가늘게 뜬 채 체수본의 내용을 읽던 조자헌은 "호오." 하면서 강만리를 쳐다보았다.

"이자, 내가 생각했던 것보다 경력이 좋소이다. 장수나 봉어 등 따로 직책은 없지만 다섯 번이나 상을 받기도 하였구려. 그중 네 번이 황비 마마의 상이었는데, 품계 대신 은자로 받은 게 특이하구려. 흠, 어쨌든 이 정도면 확실히 환관들 세계에서는 상당한 권위를 가지고 있을 것이오."

재미있게도 환관의 세계는 품계에 따라 서열이 정해지지 않았다. 환관들은 그들만의 방식으로 서열을 정리하고 형과 동생, 사부와 제자의 관계를 맺는데, 그에 따라서 품계가 없는 노환관에게 소감이나 심지어 태감마저 고개를 숙이고 예를 보이는 경우도 왕왕 있었다.

"흠, 들으면 들을수록 재미있는 곳입니다, 이곳 궁궐은 말이죠."

"그런 면이 없지 않아 있소이다."

강만리의 말에 조자헌이 쓴웃음을 흘렸다. 그는 체수본을 덮고 제자리에 꽂으며 말을 이었다.

"어딜 가나 인맥과 관계가 중요하지만, 특히 이곳만큼 그 두 가지가 중요한 곳이 없소이다. 어떨 때 보면 공식적인 상하의 관계보다 그 비공식적인 관계가 더 중요하고 결속력이 강한 것 같기도 하답니다. 황제나 상관의 명령보다 사부나 의형(義兄)의 부탁을 먼저 들어주는 경우도 종종 있으니 말이오."

강만리는 조자헌의 말을 듣다가 문득 주완룡을 떠올렸

다. 왜 그가 대사형 운운하는지, 의형제에 그토록 매달리는지 조금은 알 것 같았다.

'그저 무림을 동경해서 그런 게 아니란 말이지.'

개인적으로 맺는 사제 관계나 의형제 관계가 공식적인 상하 관계를 앞선다는 건, 황제나 황태자에게 있어서 참 슬픈 이야기일 것이다.

겉으로는 자신에게 맹목적으로 충성을 바치는 자들이 알고 보면 사사로운 관계에 더 매몰되어 있을 테니까.

충복이 필요할 터였다. 무엇이든 말하고 무엇이든 해 달라고 할 수 있는 충복. 오직 자신만을 바라보고 자신만을 위해 존재하는 충복.

어쩌면 주완룡은 강만리와 그의 의형제들을 자신의 그런 충복으로 삼고 싶었던 게 아니었을까. 그런 속마음이 대사형이니 의형제니 하는 말로 표출된 건 아니었을까.

문득 태자비의 말이 떠올랐다.

―강 대협의 이름은 전하께 여러 차례 들었소. 전하께서 믿을 수 있는 몇 되지 않은 충복(忠僕)이라고 말이오.

그때는 충복이라는 말이 주는 어감에 마음이 씁쓸해졌지만, 태자비가 말한 충복 역시 결국 주완룡이 그렇게 원하는 군신관계(君臣關係)의 또 다른 표현에 불과했으리라.

"뭐, 어쨌든……."

조자헌은 다시 자리로 돌아와 앉으며 입을 열었다. 강만리는 퍼뜩 상념에서 깨어나 그의 말에 귀를 기울였다.

"주방이든 어디든, 태자전에서 일하는 사람들은 전혀 의심하지 않아도 되리라 생각하오. 그들은 진심으로 황태자 전하께 충성하고 있으니까."

"그렇겠죠, 아무래도."

조자헌은 강만리 일행의 탕국에 독이 들어간 사실을 전혀 모르고 있었다.

강만리는 오직 주완룡만이 있는 자리에서, 주변 인기척을 모두 확인한 후에 그에게만 이야기했다. 그러니 조자헌이 지금 이런 식으로 말하는 건 당연한 일이었다.

"많은 도움이 되었습니다."

강만리는 자리에서 일어났다. 조자헌도 따라 일어나며 말했다.

"필요한 게 있으면 언제든지 찾아오시오. 할 수 있는 한 도와 드릴 터이니 말이오."

"감사합니다. 참, 수보 대학사께서는 안녕하십니까? 한번 뵙고 인사드려야 하는데."

강만리의 말에 조자헌이 웃으며 말했다.

"섭 수보 대학사는 작년에 은퇴하셨소이다."

"그래요? 생각보다 빠른 은퇴가 아닌가요?"

"그리 정정해 보이셔도 작년에 칠순 잔치를 하셨으니까요."

"아, 그런가요?"

강만리는 고개를 끄덕였다.

황궁연쇄살인 사건을 해결할 당시 내각의 수장인 수보 대학사는 섭동천(葉桐闡)이라는 인물이었다.

예순 살은 족히 넘어 보이는 외모에 새하얀 백발과 백염의 노인이었지만, 언제나 꼿꼿하고 정정한 모습에다가 광물질 섞인 듯한 눈빛으로 사람의 속을 뚫어 보는 자가 바로 그 섭동천이었다.

내각과 황궁 권력을 다투던 동창의 수장을 무너뜨리고 최고 권력자가 되었으니 향후 십 년 이상은 그 권좌에서 행복하리라고 생각했었는데 은퇴라니, 그게 아닌 모양이었다.

강만리는 그 속사정을 물어볼까 하다가 너무 오지랖이 넓을 필요도 없다는 생각에 말을 돌렸다.

"그럼 다음에 뵙겠습니다."

강만리는 그 말을 남기고 사보 대학사의 집무실을 빠져나왔다.

3. 유부남(有婦男)이란

강만리가 동궁 별채로 돌아와 보니 주방 쪽이 시끌벅적

했다. 무슨 일이 있나 싶어, 강만리는 빠른 걸음으로 객청을 가로질러 주방으로 고개를 내밀었다.

주방에는 대여섯 명의 식구들이 모여 있었다. 그 한가운데에서 담우천이 커다랗게 사각이 진 주도(廚刀)를 휘두르며 조금 전까지 살아 있던 돼지 한 마리를 부위별로 나누는 중이었다.

그 옆으로는 예예와 나찰염요들이 쪼그리고 앉은 채 뜨거운 물에 담갔던 오리와 닭들을 끄집어내서 털을 뽑고 있었다.

활짝 열어 둔 쪽문에서 바람이 한바탕 세차게 불어왔다. 주방 바닥에 떨어져 있던 깃털들이 그 바람을 타고 허공을 날았다.

담우천의 칼질을 지켜보던 장예추가 동시에 천변만화(千變萬化)의 초식을 펼치며 깃털들을 낚아채고 한쪽으로 치웠다.

강만리는 주방 입구에 등은 기대고는 팔짱을 끼며 입을 열었다.

"역시 무공이라는 건 집안일을 할 때 가장 쓸모가 있는 법이지."

강만리의 말에 사람들이 그를 돌아보고는 활짝 웃었다.

"아, 오셨어요?"

돼지 살점을 잘라 내던 화군악이 검지 끝으로 날카로운

소도(小刀)를 팽이처럼 돌리면서 웃었다. 강만리도 피식
웃으며 물었다.

"어디서 난 돼지고, 오리들이야?"

"태자 전하께서 직접 보내셨더라고요. 우리가 독 때문
에 밥을 먹지 못했다는 이야기를 들으셨는지, 아예 살아
있는 놈들만으로요."

"덕분에 이곳에 머무는 동안에는 계속해서 고기 잔치를
벌여야 할 것 같습니다. 저 밖에도 몇 마리 더 있거든요."

장예추의 말에 강만리는 활짝 열려 있는 쪽문으로 시
선을 돌렸다. 때마침 뒤뜰로 이어진 쪽문 밖에서 돼지와
닭, 양의 우는 소리가 들려왔다.

"잘됐네. 안 그래도 아이들이 계속 고기, 고기 하던데."

아이들이라고 해 봤자 그렇게 고기 타령을 하는 아이는
담창뿐이었다. 북경부로 오는 여정 동안에 먹었던 고기
요리가 그렇게 기억에 남았는지, 녀석은 시도 때도 없이
고기를 먹자고 졸라 댔다.

"실은 무당파에 들렀었거든요. 아주 우연히요."

예예가 웃는 낯으로 말했다.

"그때 무당파 장문인께서 아이들을 너무 귀여워해 주셨
어요. 아창은 게서 먹은 고기가 그렇게 맛있었나 봐요."

"호오, 무당파에?"

강만리의 눈이 커졌다.

미처 듣지 못한 이야기였다.

하기야 강만리 일행도 이곳까지 오는 동안 수많은 일을 겪어야 했는데, 예예들도 그러지 않으라는 법이 없었다.

아마 모르기는 몰라도 강만리 일행만큼이나 놀랍고 대단하고 황당한 일들을 겪으며 예까지 왔을 것이다.

"그렇군. 그리고 보니 아직 당신네 여행에 대해서는 제대로 듣지 못했네."

강만리는 머쓱한 표정을 지으며 말했다.

채석장에서 재회했을 때는, 유 노대의 죽음을 슬퍼하고 설벽린의 잘린 손목을 위로하느라 다른 이야기를 거의 나누지 못했다.

또 그날 밤에는 근 한 달 만의 해후로 한껏 굶주렸던 육정(肉情)을 해소하느라 밤을 지새우다시피 했다.

다음 날에는 다시 이곳 황궁으로 오느라 시간을 보냈고, 새로 맡게 된 황태자 중독 사건에 매달리느라 예예들의 이야기를 제대로 들을 시간이 없었다.

"괜찮아요."

예예가 거칠게 닭의 깃털을 잡아당기며 웃었다.

"굳이 듣지 않아도 상관없을 정도로 아주 사소하고 재미없는 일들뿐이었으니까요. 안 그래요, 소흔 언니?"

한가득 받아 놓은 물에 야채를 씻고 있던 정소흔이 고개를 끄덕이며 말했다.

"맞아, 동생. 우리 이야기야 한참 후에 들어도 상관없기야 하지."

강만리는 예예가 자신을 쳐다보며 닭털을 뽑을 때마다 자신의 몸에 있는 털이 뽑히는 듯한 착각과 고통을 느껴야만 했다.

"아! 약당에 가 봐야 하는데, 만해 사부에게 해야 할 말이 있거든. 약당에 계시지?"

강만리는 크게 헛기침을 하고는 황급히 객청을 가로질러 밖으로 나왔다. 햇살이 뜨겁게 내리쬐는 가운데 정원에서는 아이들이 뛰놀고 있었다.

강만리는 구석에 앉아서 아이들을 지켜보고 있는 소화에게 고개를 숙였다. 소화가 부드럽게 웃으며 살짝 고개를 숙였다.

'쳇, 마누라라는 게 둘째 형수처럼 다소곳하고 유순한 구석이 있어야지.'

강만리는 한숨을 쉬고는 별채 옆에 새로 지어진 약당으로 발길을 옮겼다.

약당 입구 처마 아래에서 햇빛을 피한 채 도란도란 이야기를 나누던 담호와 초목아가 깜짝 놀라 자리에서 일어났다. 마치 못할 짓이라도 한 걸 들킨 것처럼 소년, 소녀의 얼굴은 홍시처럼 붉어졌다.

"햇볕 뜨겁다. 안에 들어가서 이야기 나누렴."

강만리는 자신을 향해 꾸벅 인사하는 그들에게 그렇게 말한 후 성큼성큼 약당으로 들어섰다.

'좋을 때다.'

저 때만 하더라도 순진하고 다소곳하고 하늘거려서 마치 한 떨기 꽃과 같아 보였다. 예예도…….

'아니, 그 녀석은 저 나이 때부터 왈가닥이었으니까.'

강만리는 저도 모르게 성도부에서 처음 그녀를 만났을 때의 기억을 떠올리고는 고개를 홰홰 내저었다.

"안에 계십니까, 만해 사부?"

약당으로 들어선 강만리는 인기척이 느껴지는 방 한 곳에 서서 그렇게 물었다.

"들어오시게."

만해거사의 목소리가 들렸다. 강만리는 방문을 열고 안으로 들어섰다. 만해거사와 구자욱은 머리를 맞댄 채 뭔가 열심히 만드는 중이었다.

강만리는 그들이 마주 서 있는 탁자로 가까이 다가가며 물었다.

"뭡니까?"

"뭐긴. 해독약일세."

만해거사가 말했다.

"역시 신수의가의 후예답게 이 젊은 친구가 나보다 많은 걸 알고 있더군. 특히 수은이나 납 등을 해독하는 방법에 대해서는 아예 사부로 모시고 배워야 할 정도라네."

"아휴, 제발 그런 말씀 좀 마시라니까요."

구자육은 조금 전 담호와 초목아처럼 얼굴을 새빨갛게 물들이며 투덜거렸다.

"두 번 다시 신수의가 운운하시면 이제 만해 어르신과 이야기하지 않을 겁니다."

"아이쿠, 무섭다."

만해거사가 너스레를 떨 때, 강만리가 문득 고개를 갸웃거리며 물었다.

"납은 또 뭡니까?"

만해거사가 설명했다.

"여인들이 화장을 할 때 사용하는 물질 중에 납꽃이라는 게 있다네. 그걸 다른 재료들과 섞어 얼굴에 바르면 화장도 잘 먹고 피부도 하얗게 보이지만, 거기에 중독되면 수은처럼 목숨을 잃게 되지."

"허어, 그런 게 있습니까? 예예에게 조심하라고 해야겠네요."

"부인들에게는 이미 다들 말해 두었네."

"잘하셨습니다. 그런데 그건 녹두가 아닙니까?"

"그렇지. 원래 녹두가 백독(百毒)에 효용이 있다는 거야 잘 알고 있었지만, 특히 이 생녹두를 갈아 만든 즙이 납 중독이나 수은 중독에 탁월한 효과가 있다는군. 이쪽

신수…… 아니, 두 번 다시 그 의가 이야기는 꺼내지 말
라는 젊은 친구의 말에 따르자면 말일세."

"정말 너무하십니다."

구자육은 한숨을 내쉬고는 강만리에게 설명했다.

"해약(解藥)이라는 것이 꼭 특별한 약재(藥材)만으로 만
들어지는 게 아닙니다. 원래 산에서 나고 들에서 자라고
물에서 피어나는 풀과 꽃들에 자정(自淨)의 기운이 있으니
까요. 가령 녹두나 해의(海衣) 같은 것들이 그렇습니다."

해의는 곧 김을 뜻했다. 생김은 노화도 막고 머리카락
도 새로 나게 하고 기억력 저하도 막으며, 납 중독을 중
화시키는 등의 효능을 가지고 있었다.

하지만 이 시대에는 김을 접해 본 사람들이 그리 많지
않았다. 강만리 역시 해의라는 말을 처음 들어 보았다.

"해의?"

구자육은 잠시 손을 멈추고 조선(朝鮮)에서 만들어졌다
는 귀한 김의 역사에 대해서 간략하게 설명했다. 그러고
는 안도의 표정을 지으며 이렇게 말을 맺었다.

"해의는 조선에서 황제에게 바치는 공물 중의 하나였
기에, 다행히도 상선감에서 구할 수 있었습니다. 일이 되
려고 하는 모양입니다."

"허어, 그렇군. 정말 일이 되려고 하는 모양이오."

강만리는 여전히 그 해의가 어떻게 생겼는지, 맛은 어

떤지 궁금하다는 표정을 감추지 못한 채 그리 말하다가 문득 생각났다는 듯 만해거사를 돌아보며 말을 이었다.

"참, 태의원의 수은은 어찌 되었습니까?"

"모두 수거했네. 혹병(玉瓶)에 넣어 꽁꽁 싸매고 봉인까지 해 두었지. 앞으로 황궁 내에서 수은은 한 방울도 볼 수 없을 게야."

"잘되었습니다. 그럼 우리 탕국에 넣은 독도 무엇인지 알아내셨습니까?"

"칠보추혼산(七步追魂散)인 것 같습니다."

이번에는 구자육이 말했다.

"몸에 들어가면 채 일곱 걸음을 걷기도 전에 죽는다는 맹독입니다. 강호 무림에서는 손톱만큼의 분량이 황금 백 냥에 거래되는, 아주 비싸고 귀한 독이기도 하죠."

"허어, 칠보추혼산이라……."

강만리는 저도 모르게 엉덩이를 긁적거렸다.

수은이나 납 중독에 대해서는 일자무식(一字無識)인 강만리였지만 그래도 칠보추혼산은 익히 들어 알고 있었다.

무림에 횡행하는 수많은 독물 중에서 열 손가락 안에 들어가는 맹독. 그만큼 비싸고 다루기가 어려워, 칠보추혼산을 하독하여 사람을 죽이는 경우는 생각보다 그리 많지 않았다.

독을 사용하여 사람을 죽이려면, 예를 들어 구하기 쉬

운 협죽도(夾竹桃)의 잎이나 투구꽃을 달인 물을 먹이는 게 가장 쉽고 빠르니까.

'그럼에도 불구하고 굳이 칠보추혼산을 사용한 건…… 역시 강호에서 활동하거나 했던 자가 있다는 뜻일 터. 역시 동창(東廠)을 의심해야 하나?'

강만리가 그런 생각을 할 때였다. 만해거사가 궁금하다는 듯 그를 돌아보며 물었다.

"참, 갔던 일은 잘 되었나? 태자전 주방 사람들을 탐문한다고 한 것 같았는데."

"아, 그것 말이죠."

강만리는 묘한 표정을 지으며 말했다.

"대충 용의자는 찾은 것 같습니다."

"그래? 아니, 그런데 왜 표정이 그리 묘하지? 뭔가 잘못된 게 있나?"

"그게 그러니까……."

강만리는 한숨을 쉬고는 재차 엉덩이를 긁적이며 말했다.

"아무래도 생각보다 조금 복잡해서 말입니다. 태자 전하에게 하독한 자와 우리에게 독을 푼……."

강만리가 거기까지 말할 때였다.

"여보!"

약당 밖에서 째지는 목소리가 들려왔다.

동시에 강만리의 얼굴이 딱딱하게 굳어졌다. 예예의 목

소리였다.

"거기서 뭐하세요?"

예예가 다시 큰소리로 외쳤다.

"장작이 부족해요! 가서 좀 얻어 오세요!"

구자욱과 만해거사가 동시에 손을 놓고 강만리를 돌아보았다. 강만리는 머쓱하게 웃으며 말했다.

"가 봐야겠네요."

만해거사가 황급히 고개를 끄덕이며 말했다.

"그래, 얼른 가 보게."

강만리는 서둘러 방을 나섰다.

문이 닫히자마자 구자욱과 만해거사는 동시에 한숨을 내쉬며 고개를 설레설레 저었다.

"유부남(有婦男)이란……."

"예로부터 천하를 구할 영웅도 마누라 앞에서는 쩔쩔매는 법이지."

부인이 없는 두 사람은 그렇게 소곤거리며 다시 생녹두를 갈기 시작했다.

6장.
교자(餃子)

"그래, 한 번 형님은 영원한 형님인 게야.
그리고 한 번 대사형은 영원한 대사형인 게고."

교자(餃子)

1. 소화

동궁 외곽 구석진 곳의 별채에서 고기를 굽는 냄새가 진동하는 가운데, 예예와 나찰염요들은 사천 특유의 매콤한 냄새를 풍기는 요리를 만들어 내고 있었다.

강만리의 입에서 절로 군침이 흘렀다. 무려 한 달이 넘는 여정이었다. 전국 각지의 음식을 두루 맛봤지만, 역시 강만리에게 사천 음식은 고향의 맛이자 영혼의 음식이었다.

"아아, 배고프다."

소리가 절로 나왔다.

하기야 아침부터 지금까지 한 끼도 제대로 먹지 못한 상황이었다. 그건 강만리뿐만 아니라 다른 사람들 모두 마찬가지였다.

아니, 어른들이야 그리고 무공의 고수들이야 한두 끼 굶는다고 해서 크게 문제 될 건 없었다.

문제는 어린 꼬마들이었다. 담창을 비롯한 강정, 보보, 화소군은 물론, 담호와 초목아 역시 허기진 기색을 감추지 못했다.

거기에다가 임신한 두 여인, 당혜혜와 소화는 무조건 잘 먹어야 하는 시기였다.

사실 화평장 모든 식구의 축하를 받았던 당혜혜와는 달리, 소화의 임신을 안 사람은 한 사람도 없었다.

눈에 띄게 배가 불룩해진 당혜혜와는 다르게 몸매의 변화가 전혀 없었던 것도 있지만, 무엇보다 소화 그녀가 남들에게 알리지 않았기 때문이었다.

"뭐야, 임신했어?"

나찰염요도 깜짝 놀라 소리치듯 되물었다.

채석장에서 무려 석 달 만의 재회를 한 그날 밤, 소화는 나찰염요를 은밀히 불러 구석진 방으로 데리고 가더니 자신의 임신 사실을 그제야 이야기했던 것이다.

나찰염요는 눈을 휘둥그레 뜨며 다시 물었다.

"언제? 몇 달 되었는데?"

소화는 얼굴을 붉히며 고개를 숙였다.

"두 분이 화평장을 떠나기 전날 밤에 잉태한 것 같아요."

나찰염요는 기억을 더듬었다.

'가만있자, 보주들을 팔기 위해 강서낭추 조 영감을 만나러 화평장을 떠났던 게 삼월 초에서 중순으로 접어들 무렵이었지? 맞아! 떠나기 전날, 그이에게 억지로 이 아이를 떠밀어 보냈는데…… 세상에, 그때 임신한 거로구나!'

나찰염요는 환하게 밝은 얼굴로 소화의 두 손을 잡으며 기뻐했다.

"축하해, 동생. 잘됐다, 정말. 그럼 이제 넉 달째인가? 그럼 올해 말이나 내년 초에 낳겠네?"

소화는 상기된 표정으로 소곤거렸다.

"내년 정월일 것 같아요."

"와아, 정말 축하해."

"고마워요, 언니. 언니에게 가장 먼저 말씀드리고 싶었거든요."

"그래? 고마워. 응? 뭐야, 그럼 동생이 임신한 거 아무도 모르는 거야?"

"네. 일부러 말하지 않았거든요."

"하지만 입덧은?"

"아이가 순해서 그런지 입덧도 하지 않네요."

"어머나 세상에나."

나찰염요는 당황하여 말했다.

"그렇다고 이 기쁜 소식을 왜 지금까지 숨기고 있어, 미련하게? 자, 이리로 와."

나찰염요는 소화의 손을 잡아 이끌며 객청으로 달려가듯 빠르게 걸음을 옮겼다. 소화는 부끄러워 어찌할 바를 몰라 하면서 질질 끌려갔다.

나찰염요는 객청에 모여서 술을 마시는 사람들을 둘러보며 말했다.

"아주 기쁜 소식 하나를 전할게요."

사람들은 눈을 동그랗게 뜨고 나찰염요를 돌아보았다. 나찰염요가 활짝 웃으며 말했다.

"우리 담가(潭家)에 새로운 아이가 생겼어요!"

사람들의 눈이 휘둥그레졌다. 화군악이 놀라 물었다.

"형수가 임신하셨어요?"

나찰염요는 화군악을 째려보고는 자신의 뒤에 숨어 있다시피 서 있던 소화를 앞으로 끌어내며 말했다.

"우리 동생이 임신했다네요. 그것도 벌써 사 개월째로 접어든다죠."

"어머나!"

"축하해요! 아니, 그런데 왜 지금까지 말씀하지 않으셨어요?"

"허허, 축하하오."

놀란 사람들이 앞다퉈 축하의 인사, 의아한 질문을 쏟

아 냈다.

소화는 부끄러워 고개를 숙이면서도 힐끗 담우천을 쳐다보았다. 담우천도 놀란 표정이 역력한 얼굴로 그녀를 쳐다보다가 불쑥 자리에서 일어나 성큼성큼 다가섰다.

나찰염요가 한 걸음 뒤로 물러났다. 담우천이 소화를 껴안으며 귀엣말로 소곤거렸다.

"고생 많았구나."

일순 소화의 몸이 축 늘어졌다.

모든 불안, 초조함이 일순간에 사라졌다. 그녀를 악착같이, 끈질기게 일으켜 버틸 수 있게 만들었던 긴장의 끈의 삽시간에 녹아내렸다. 그렇게 사라지고 녹은 것들은 이내 그녀의 두 눈을 통해서 눈물로 흘러내렸다.

"그래, 고생 많았어."

나찰염요가 다가와 그녀의 어깨를 다독이며 말했다.

"동생이 있으니까, 동생이 아창과 보보를 잘 돌보니까 그걸 믿고 우리가 밖에서 마음껏 싸우고 돌아다닐 수 있었던 거야."

나찰염요의 말에 일순간 장내의 떠들썩했던 분위기가 숙연해지듯 가라앉았다. 문득 화군악이 자리에서 일어나며 입을 열었다.

"정말 고생 많으셨습니다. 둘째 형수께서 우리 소군을 친딸처럼 돌봐 주셨다고 내자를 통해서 들었거든요. 이

참에 고맙다는 인사드립니다."

그러자 화군악의 아내 정소흔도 자리에서 일어나 두 사람이 함께 소화에게 인사했다. 소화가 어쩔 줄 몰라 하며 손을 저었다.

"아니에요. 그게 무슨 이렇게 인사를 받을 일이라고……."

그때 이번에는 예예와 강만리가 동시에 일어나 그녀에게 고개를 숙이며 말했다.

"우리 아이 또한 둘째 형수의 보살핌 덕분에 잘 자라고 있습니다. 항상 감사히 생각합니다."

또 이번에는 당혜혜가 일어나 인사했다.

"언니 도움 덕분에 입덧을 수월하게 보낼 수가 있었어요. 언제나 도움만 받아서 늘 죄송하고 또 고마웠어요. 정말 임신 축하드려요."

당혜혜가 옆구리를 꼬집는 바람에 장예추도 황급히 일어나 인사했다. 그러자 설벽린이나 정유, 심지어 만해거사도 자리에서 일어나 예를 갖췄다.

소화는 아무 말도 하지 못한 채 그저 눈물만 글썽거리며 사람들을 둘러볼 뿐이었다.

담우천이나 화평장의 다른 아내들이 무림 명가의 여식들, 강호의 널리 알려진 유명인인 것과는 달리 소화의 태생은 천한 서민 출신이었고, 연초와 아편 연기로 가득 찬 도박장에서 간단한 요깃거리를 팔던 별 볼 일 없는 여인이었다.

그런 소화가 담우천을 만나 함께 살게 되면서, 그녀의 삶은 언제나 초조하고 불안하고 긴장되는 생활의 연속이었다.

그녀는 실수는 하지 않을까, 폐는 끼치지 않을까, 무시를 당하진 않을까, 심지어 쫓겨나지는 않을까 하는 걱정과 불안 속에서 하루하루를 보내야 했다.

물론 그럴 사람들이 아니라는 건 누구보다도 소화가 더 잘 알고 있었다. 그러나 그녀는 스스로를 초라하고 보잘것없는 존재라고 생각하였다.

그래서 그녀는 담우천에게서, 화평장에서 쫓겨나지 않기 위해 사람들에게 자신의 존재를 각인시키고 필요한 사람이라고 인정받게끔 열심히 일했다.

밥을 짓고 빨래를 하고 방을 청소하고 아이들을 돌보는 일들은 모두 그녀가 자청한 일이었다.

나찰염요의 말이 아니더라도 사람들은 그녀를 믿고 집과 아이들을 맡긴 채 강호를 돌아다닐 수 있었다. 그녀는 화평장의 아이들을 친자식처럼 돌봤고, 아이들 또한 그녀를 친엄마처럼 대했다.

그렇게 수년이 지난 지금, 소화는 화평장 식구들에게 없어서는 안 될 존재가 되었다. 언제 어디에서나 그녀가 필요했다. 집안의 온갖 궂은일을 도맡아 한 그녀는 어느

덧 화평장 식구들의 안주인이 되어 있었다.

그 소화가 임신한 것이다. 사람들은 진심으로 축하하고 축복했다. 평소 무뚝뚝하기만 한 담우천도 그때만큼은 환하게 웃으며 자리에서 일어나 소화를 힘껏 끌어안았다.

그날 이후 소화는 당혜혜와 더불어 모든 집안일에서 손을 떼야 했다.

하지만 공교롭게도, 소화가 집안일에서 모두 손을 뗀 직후부터 갑자기 그녀의 입덧이 심해지기 시작했다. 이날도 그녀는 고기 굽는 냄새가 꽤 역겨웠는지 방에 들어가서 좀처럼 나오지 않았다.

어느새 해는 중천을 지나 서쪽으로 향하고 있었고, 고기는 다 구워졌으며 예예의 진두지휘하에 마련된 사천의 음식들도 한 상 가득 차려졌다.

아이들은 시끄럽게 떠들며 자리를 하나씩 차지하고 앉았다. 여인들이 상을 차리는 동안 사내들도 입맛을 다시며 자리에 앉았다.

"소화는?"

문득 담우천의 물음에 나찰염요가 배시시 웃으며 말했다.

"고기 굽는 냄새가 고약하다고 방에 들어갔어요."

"허어, 그럼 쓰나. 기력을 보충하기 위해서라도 고기를 먹어야지."

"아무래도 딸 같아요, 고기 냄새를 싫어하는 걸 보니."

"응? 그런 게 또 있어?"

"그렇다네요. 엄마가 고기를 좋아하면 아들, 과일을 좋아하면 딸이라고요."

"흠, 보보를 가졌을 때도 그랬나?"

"글쎄요. 기억이 안 나네요."

나찰염요는 옆자리에서 숟가락을 들고 상을 두드리고 있는 보보를 힐끗 바라보며 옅은 한숨을 내쉬었다.

"벌써 수백 년 전의 일 같거든요."

"으음."

탁자에 앉아 있던 누군가의 입에서 희미한 신음이 흘러나왔다.

그녀의 말이 무슨 의미인지 알 것 같았던 게다. 사람들 또한 화평장을 떠나온 게 수년 전의 일처럼 여겨졌으니까.

"가서 불러오지."

담우천의 말에 나찰염요가 가볍게 눈살을 찌푸리며 웃었다.

"당신이 다녀오세요."

"내가?"

"네. 저보다는 당신이 가는 게 나아요."

"그런가?"

담우천은 무심한 표정으로 자리에서 일어났다. 그때였다.

"태자 전하께서 납시오!"

별채 밖 문을 지키고 있던 경비위사들이 큰소리로 외쳤다. 강만리 일행의 표정이 급변했다.

정유가 중얼거렸다.

"벌써 돌아다니실 정도로 쾌차하신 건가?"

"그렇다면 다행이고."

강만리는 무뚝뚝하게 말하며 자리에서 일어났다. 다른 사람들 또한 자리에서 일어나 태자를 맞이할 준비를 시작했다.

막 별채로 들어서다가 사람들이 객청을 나오는 걸 본 주완룡은 활달하게 웃으며 손을 저었다.

"아니, 나올 것 없다. 다들 들어가게."

너털웃음이었지만 아직 힘이 없는 웃음이었다. 애써 활기찬 표정을 지었지만 여전히 핏기가 없어 창백하기 그지없는 얼굴이었다. 뒷짐을 지고 천천히 땅을 디딛는 발걸음도 어딘지 모르게 위태롭게 보였다.

사람들은 그가 객청에 들어설 때까지 허리를 숙이고 있었다. 오직 태자가 누구인지 알 리가 없는 아이들만이 서로 숟가락을 가지고 장난을 하며 까르르 웃고 있었다.

2. 대사형이 된 도리

"와아, 진수성찬이로군."

상석에 앉은 주완롱은 식탁 위의 요리들을 둘러보며 입맛을 다셨다.

"예전에 대륙을 횡단하면서 온갖 음식들을 먹어 봤지만 내게는 사천의 요리가 가장 입맛에 맞더군. 그 톡 쏘듯이 화끈하고 혀가 얼얼할 정도로 매운 음식들이 아주 자극적이어서 꽤 오랫동안 기억에 남더라니까."

"차린 건 없지만 많이 드세요."

예예가 화평장의 여인들을 대표하여 그렇게 말했다.

"그럼 맛있게 먹겠소."

주완롱이 회과육(回鍋肉) 한 점을 집으려 하자 바로 그의 등 뒤에 시립해 있던 환관이 화들짝 놀라며 만류했다.

"아니 되옵니다, 전하. 소신이 먼저 상선(嘗膳)해 보겠습니다."

시선(侍膳) 태감이 작은 은패나 은침으로 음식에 독이 들어 있는지 미리 검사하고 시식하는 걸 두고 상선이라 했다.

그러자 주완롱이 혀를 차며 말했다.

"허어, 내가 수은에 중독되었다는 것도 알아차리지 못하지 않았더냐?"

일순 환관의 얼굴이 새빨갛게 변했다. 그는 황급히 허리를 숙이며 죄를 빌었다.

"죽을죄를 지었습니다. 통촉하여 주시옵소서."

"아니, 그대가 죄를 지었다고 하는 게 아니다."

주완룡은 이내 미소를 머금으며 말했다.

"누군가 나를 시해하려 독을 탄다면 그깟 은침이나 은패로 막을 수 없다는 뜻이다. 게다가 여기 있는 자들은 모두 내 사형제들이다. 어찌 내 사형제들이 대사형을 해하려 하겠느냐?"

"하지만 그래도……."

"아닙니다. 제가 먼저 맛을 보지요."

환관이 쩔쩔매는 걸 본 강만리가 그렇게 말하며 젓가락으로 회과육 한 점을 집어 입안에 넣고 우물우물 씹었다.

회과육은 삶은 돼지고기를 온갖 향신료로 버무린 다음 다시 볶은 요리로, 사천 특유의 매콤한 맛과 쫄깃쫄깃한 돼지고기가 입맛을 돋우는 음식이었다.

강만리가 쩝쩝거리며 회과육을 먹는 모습을 바라보던 주완룡은 도저히 참을 수 없다는 듯이 회과육 한 점을 집어 먹었다. 그러고는 연신 고개를 끄덕이며 중얼거렸다.

"그래, 이 맛이다. 몇 차례 숙수들에게 회과육을 만들어 올리라고 했는데 이 맛이 나지를 않더구나."

그러자 예예가 끼어들었다.

"사천 본토의 장(醬)과 향신료가 없어서 그런 걸 겁니다. 태자 전하께서 원하신다면 가지고 온 장과 향신료를 태자전 숙수에게 보내 드리겠습니다."

주완룡이 기뻐했다.

"허허. 그렇게 해 주시면 그저 고마울 따름이오, 제수씨."

감히 황태자에게서 제수씨라고 불린 예예는 기쁘기도 하고 황송하기도 해서 몸을 살짝 꼬며 고개를 숙였다.

"자, 같이들 들게."

주완룡이 웃으며 말했다.

"자고로 음식은 혼자 먹는 것보다 함께 먹어야 더 맛있으니까 말이지."

그 말에 만해거사가 껄껄 웃으며 고개를 끄덕였다.

"역시 태자 전하께서는 제대로 드실 줄 아십니다. 그렇죠, 즐거운 건 다 같이 나눠야 더 즐거운 법이니까요."

이후 화평장 사람들은 주완룡과 함께 시끌벅쩍하게 식사를 하기 시작했다. 그중 가장 시끄러운 사람은 물론 황태자 주완룡이었다.

"흠, 이건 어향육사(漁香肉絲)로군. 음, 맛있어. 아주 맛있어."

주완룡은 물고기가 전혀 들어가지 않은, 돼지고기를 가늘게 썰어서 죽순을 비롯한 온갖 야채를 넣고 볶아 만든 요리를 맛보며 감탄했다.

또 사천이라면 길가에서 흔히 먹을 수 있는 담담면(擔擔麵)을 호들갑스레 먹으며 떠들기도 했다.

주완룡의 뒤에 서 있던 환관은 그야말로 안절부절, 어쩔 줄 모르는 모습으로 그가 식사하는 걸 지켜보았다.

조심스럽기는 화평장 식구들도 마찬가지였다. 태연한 표정으로 식사를 하고 있기는 했지만 다들 음식이 코로 들어가는지 입으로 들어가는지 모를 정도로 긴장하고 있었다. 특히 초목아와 담호는 제대로 젓가락을 놀리지 못한 정도로 벌벌 손을 떨고 있었다.

'내가 감히 황태자 전하와 마주 앉아서 식사를 하고 있다니, 날 아는 사람들은 전혀 믿지 못할 거야.'

초목아는 속으로 그렇게 중얼거리며 애써 음식을 먹었다.

그렇게 서로 다른 표정과 속내를 함께 한 채 식사가 끝났다. 주완룡은 만족했다는 듯이 젓가락을 내려놓으며 말했다.

"정말 오래간만에 맛있게, 그리고 배불리 먹었네. 고맙네."

"저희가 감사할 일입니다. 이렇게 평범한 음식들을 그리 맛있게 드셔 주셔서 말입니다."

강만리의 말에 주완룡은 껄껄 웃으며 고개를 저었다.

"아니네. 그야말로 진수성찬이었네. 게다가 황궁 음식이라는 게 생각보다 맛이 없거든."

"그런가요?"

예예가 저도 모르게 묻자 주완룽은 진지한 표정을 지으며 고개를 끄덕였다.

"그렇다오, 제수씨. 맛있는 건 환관들과 숙수들이 다 먹고 맛없는 것만 상에 올린다오."

"전하!"

뒤에 서 있던 환관이 억울하다는 표정을 지으며 말했다.

"감히 그럴 리가 있겠습니까? 그저 황제 폐하와 태자 전하의 건강을 위해서 달고 짜고 매운 자극적인 음식들을 만들지 않기 때문에 간이 조금 심심할 따름입니다. 어찌 우리가 감히 맛있는 음식을 먹고……."

"하하하, 농담이네. 그리 발끈하지 말게."

주완룽이 웃으며 말했다.

"나와는 달리 아바마마께서는 단 한 번도 궁 밖으로 나가신 적이 없다네. 그래서 언젠가 한 번 궁을 나갔다가 돌아오는 길에, 돼지기름으로 튀긴 교자(餃子)를 사서 진상한 적이 있었지. 돼지고기와 야채로 아주 속이 꽉 찬 교자였는데 아바마마께서는 그걸 드시고는 '허어, 이런 천상(天上)의 음식이 있었다니! 네가 효자로구나!' 하고 크게 칭찬하셨다네. 그저 아무 객잔이나 주루에서 흔하게 파는 교자였는데도 말이지."

웃으며 이야기를 듣던 이들의 표정이 어느 순간부터 진지해졌다. 주완룡은 여전히 미소를 머금은 채 말을 이었다.

"어찌 보면 참으로 불쌍한 곳이 이곳 황궁이라네. 맛있는 것도 먹지 못하고 즐거운 일도 하지 못하고 마음 편히 지내지도 못하지. 그래서 나는 그대들이 참으로 부럽다네."

강만리는 뭐라 말해야 할지 몰라 망설이다가 조심스레 입을 열었다.

"대사형 대신 우리가 맛있는 것도 많이 먹고 즐거운 일도 많이 하고 마음 편하게 지내겠습니다. 그리고 가끔씩 찾아와 대사형께 그 맛있는 것, 즐거운 일들에 관해서 실감 나게 이야기해 드리겠습니다. 그러니 대사형께서 하고 싶고 먹고 싶은 것들, 모두 우리에게 말씀해 주십시오."

"음?"

그 의외의 말에 주완룡의 눈이 휘둥그레졌다.

"그러니까 좋은 건 자네들이 다 하고 나는 이야기만 들으라고?"

"이야기라도 들으실 수 있으니 나쁘지 않은 일이라고 생각합니다."

"허어."

주완룡은 강만리가 당연하다는 듯이 말하는 저 뻔뻔한 모습에 기가 질린다는 듯 고개를 휘휘 내저었다. 그러고 는 이내 껄껄 웃으며 말했다.

"역시 내 아우답네. 내 앞에서 이렇게까지 뻔뻔한 자는 오직 자네밖에 없을 것이네."

강만리가 슬그머니 미소를 띠며 말했다.

"이런 아우가 싫다면 대사형의 호칭을 버리셔도 됩니다."

"그럴 수는 없지. 자네가 그런 성품인 거 다 알고 대사 형이 된 건데 말일세. 그나저나 그대들 또한 힘들겠군. 이런 자와 계속해서 함께 지내야 한다니 말이지."

"맞습니다, 대사형."

화군악이 얼른 그 말을 받아 투덜거렸다.

"아주 비위 맞추는 게 너무 힘들어서 어떨 때는 그냥 가출할까 하는 생각도 하니까요. 하지만 어쩌겠습니까? 한 번 형님은 영원한 형님, 부족하더라도 우리가 잘 이끌 고 보살핀다는 마음으로 함께 지낼 따름입니다."

"군악아."

강만리가 화군악을 노려보았지만 그는 고개를 돌리며 모른 척했다.

주완룡이 껄껄 웃다가 문득 진중한 표정을 지으며 입을 열었다.

"그래, 한 번 형님은 영원한 형님인 게야. 그리고 한 번 대사형은 영원한 대사형인 게고."

사람들은 진지한 얼굴로 주완룡의 말에 귀를 기울였다. 주완룡은 사람들 얼굴을 하나하나씩 들여다보며 말을 이어 나갔다.

"내 비록 부족하고 보잘것없는 대사형이기는 하지만, 군악 말마따나 잘 보살펴 준다는 마음으로 이끌어 주게. 부탁하네."

말을 마친 주완룡이 고개를 숙였다.

사람들은 깜짝 놀라 자리에서 일어나 황급히 자리에 엎드렸다. 담호와 초목아도 눈치 빠르게 어른들을 따라 자리에 엎드렸다. 어린 꼬마들만 무슨 영문인지 몰라 어리둥절한 표정을 짓고 있었다.

화평장 사람들은 부복한 채 저마다 입을 열었다.

"황공하옵니다."

"부탁한다는 말씀, 감당할 수 없습니다. 부디 거둬들여 주시기 바랍니다."

"그리 말씀하지 않으셔도 언제나 전하께 충성을 바치겠습니다."

대부분 그런 식으로 주완룡의 부탁한다는 말을 황공해하고 감격했지만 화군악은 조금 달랐다. 그는 부복한 채 활달한 어조로 말했다.

"대사형의 말씀대로 잘 보살펴 드리겠습니다. 그러니

대사형께서도 우리를 잘 이끌어 주시기 바랍니다. 앞에서 끌고 뒤에서 밀어 주는 것, 그게 진짜 사형제(師兄弟)이니까요."

"으음?"

주완룡은 눈을 휘둥그레 뜨고 화군악을 내려다보다가 이내 껄껄껄 웃으며 말했다.

"그래, 자네 말이 맞네. 나도 자네들을 잘 이끌어 주겠네. 대사형이 된 도리로 말일세."

3. 예쁜 자식 떡 하나 더 주는

"몸은 좀 어떠십니까?"

"덕분에 많이 좋아졌네. 정말 뛰어난 의술 실력을 가지고 있더군."

"아닙니다. 워낙 황궁에 좋은 약재가 많아서 그 효능 덕분이지 소인이 한 건 아무것도 없습니다."

"아닐세. 오늘 아침에도 어의들이 진맥하고 깜짝 놀라더군. 어찌 이리 빠르게 회복할 수 있느냐면서 말이지."

"그게 다 아우들을 잘 둔 덕분이죠."

"하하하. 군악, 자네는 내 곁에 남아서 나와 함께 지내지 않겠나? 자네 덕분에 웃음이 끊이지 않을 것 같은데."

"아쉽게도 아직 해야 할 일들이 많이 남아서 그럴 수는 없을 것 같습니다."

"해야 할 일들이라?"

"네. 여전히 오대가문과 싸우는 중이고, 역모 사건의 배후를 뒤쫓는 중이니까요."

"흠, 내가 도와줄까?"

"아니, 그러시면 안 됩니다."

강만리가 단호하게 말했다.

식사를 마치고 여인들과 아이들이 물러난 자리, 객청에는 황태자 주완룡과 환관, 그리고 담우천과 강만리를 비롯한 사내들만이 남아서 차를 마시며 대화를 나누는 중이었다.

다들 침착한 표정으로 이야기하는 와중에 구자육은 자신이 있을 자리가 아니라는 생각이었을까, 좌불안석(坐不安席) 어찌할 바를 몰라 했다.

강만리는 계속해서 말을 이어 나갔다.

"무림의 일은 무림인들끼리 해결해야 합니다. 자칫 우리가 다칠지언정 대사형께서는 절대 눈길조차 주시면 안 됩니다. 우리끼리 있을 때야 대사형이시지만, 한 걸음 물러나 보게 되면 대사형은 천하 만민(萬民)의 아버지이시니까요."

"맞습니다. 같은 자식을 두고 한쪽만 예뻐하고, 한쪽만 미워하면 미움을 받는 자식은 더 삐뚤어질 겁니다. 그러니 절대로 편애하시면 안 됩니다."

화군악이 동조하여 말했다. 주완룡이 고개를 끄덕였다.

"알겠네. 한 걸음 물러나면 천하 만민이 내 자식들이라
는 말, 깊이 새겨 두겠네."

기실 대화는 주완룡과 강만리, 그리고 화군악이 주도하
여 이끌어 나가는 중이었다. 담우천과 장예추, 만해거사
와 정유, 그리고 구자육은 묵묵히 그들의 대화에 귀를 기
울이고 있었다.

"그래, 진전은 좀 있는가?"

주완룡이 강만리를 돌아보며 화제를 전환했다. 강만리
는 침착하게 말했다.

"어느 정도 감이 잡힙니다."

"그래? 의심 가는 자가 누구인가?"

"그건 아직 말씀드릴 수가 없습니다. 자칫 타초경사(打
草驚蛇)의 우(愚)를 범할 수도 있고, 무엇보다 확실하지
않은 이상 함부로 입에 올리면 안 되기 때문입니다."

"으음."

주완룡은 강만리의 말에 무언가를 느낀 듯 침중한 표정
을 지으며 나지막하게 물었다.

"설마 내가 듣고 충격을 받을 만한 이름은 아니겠지?"

"죄송합니다만 그것도 말씀드릴 수가 없습니다."

강만리는 고개를 숙이며 말을 이었다.

"어쨌든 최대한 빨리 흉수를 찾아낼 터이니 조금만 더 기다려 주시기 바랍니다."

주완룡은 가만히 그를 바라보다가 고개를 끄덕이며 입을 열었다.

"알겠네. 아우만 믿지."

"감사합니다, 대사형."

"그런데 아까부터 궁금했는데 말일세."

주완룡은 다시 주위를 둘러보며 화제를 바꿨다.

"그 벽린이라는 아우는 어찌 보이지 않는 것 같은데?"

"아, 그게……."

강만리는 설벽린이 채석장에 남아 있다고 이야기했으며 그의 손이 잘린 것도, 잘린 이유도 설명했다. 주완룡은 눈을 휘둥그레 뜬 채 이야기를 듣다가 한숨을 내쉬었다.

"그런 고약한 일이 있었군그래. 알겠네. 내가 해 줄 수 있는 게 있다면 언제든지 말하게."

그러자 화군악이 쭈볏거리며 입을 열었다.

"이 아우도 원하는 게 있습니다, 대사형."

"음? 뭔가?"

"그게…… 저도 강 형님처럼 황궁무고(皇宮武庫)에 들어가 보고 싶습니다."

"군악아, 제발 좀."

강만리가 눈살을 찌푸렸다. 반면 주완룡은 의외의 말을

들었다는 듯이 고개를 갸웃거리며 말했다.

"응? 황궁무고에?"

"네. 강 형님이 그곳에 갔다 온 후로 갑자기 무공이 급상승했거든요. 저 역시 조금이라도 더 강해져서 우리 식구를 지키고, 대사형을 보필하고자 하는 욕심이……."

"푸하하하! 진짜 욕심이로군그래."

주완룡이 크게 웃음을 터뜨렸다.

"만족하지 못하고 끝없이 강해지고 싶어 하는 걸 보면 역시 무림인인 게로군."

"그게 아닙니다. 아직 부족하다는 걸 절감했기 때문입니다."

"어허, 군악아. 이제 좀 그만해라."

"아닙니다, 형님. 이때가 아니면 또 언제 감히 제가 이런 말을 할 수 있겠습니까?"

화군악은 강만리의 제지에도 불구하고 여전히 제 할 말을 했다. 그는 황태자 주완룡을 똑바로 바라보면서 말을 이어 나갔다.

"오대가문과 싸우면서 아직 우리의 실력이 부족하다는 것을 절실히 깨달았습니다. 형제들이 다치는 건 더는 보고 싶지 않습니다. 식구들을 안전하게 지키고 싶습니다. 그리고 대사형께 심려를 끼치지 않도록, 대사형이 걱정하지 않도록 더욱 강해지고 싶습니다."

화군악의 말이 끝나자, 그동안 침묵하고 있던 장예추도 입을 열었다.

"저도 부탁드립니다. 물론 무례하고 또 분에 넘치는 부탁이라는 건 잘 알고 있습니다만, 지금보다 강해질 수 있다면 어떡해서든지 더 강해지고 싶습니다. 그건 군악과 같은 생각입니다."

강만리가 난감한 표정을 지으며 한숨을 내쉬었다.

"허어, 예추 너까지 왜 그러느냐?"

하지만 강만리의 말이 끝나기도 전에 이번에는 담우천이 입을 열었다.

"가능하시다면 저 역시 부탁드립니다, 대사형."

"아니, 담 형님마저……."

강만리의 얼굴이 일그러졌다.

주완룡은 미미한 미소를 입가에 머금은 채 사람들의 이야기를 잠자코 듣다가 천천히 입을 열었다.

"황궁무고는 아무나 들어갈 수 없네. 심지어 나도 아바마마의 윤허를 받아야만 들어갈 수 있네."

"신경 쓰지 않으셔도 됩니다. 황궁무고가 아니더라도 강해질 방법은 얼마든지 있을 테니까요."

강만리가 빠르게 말을 받았다.

"음? 그건 조금 속이 상하는 발언 같은데? 황궁무고보다 더 좋은 곳이 있단 말인가? 설마 소림의 장경각(藏經

閣)을 염두에 두고 한 말은 아니겠지?"

"아니, 그런 이야기가 아니라······."

"하하, 농담일세. 뭘 그리 당황해하나?"

주완룡은 웃으며 말했다.

"하지만 황궁과 나라에 공을 세운 자라면 그 상으로 황궁무고에 들어갈 수가 있다네. 예전의 만리처럼 말일세."

화군악의 눈빛이 반짝였다.

"그 말씀은 그러니까······."

주완룡이 고개를 끄덕였다.

"그렇지. 천하의 황태자를 구한 공이라면 충분히 황궁무고에 들어갈 자격이 있겠지. 그러니 나를 시해하려는 자들을 잡게나. 그러면 반드시 그대들 모두를 황궁무고에 들어가게끔 해 주겠네."

"감사합니다, 대사형."

화군악을 비롯한 모든 이들이 고개를 숙였다. 주완룡은 흐뭇한 눈길로 그들을 지켜보다가 뒤늦게 생각났다는 듯이 "아!" 하며 입을 열었다.

"내가 그대들 모두라고 했으니 물론 벽린에게도 그 기회를 줄 것이며, 아울러 제수씨들과 아이들도 들어갈 수 있을 것이야."

그 말에는 강만리도 입이 쩍 벌어질 수밖에 없었다.

"그건 정말이지······ 이 무례한 부탁을 들어주셔서 진심으로 감사드립니다."

"아닐세."

주완룡은 웃으며 말했다.

"자네들이 강해질수록 내 심려는 줄어들 것이고, 또한 자네들이 강해질수록 내가 더 안전해지는 게 아닌가? 다 나를 위해서 하는 일일세."

화군악도 웃으며 말을 받았다.

"그렇다면 지금보다 훨씬 더 강해지겠습니다."

"그래. 그렇게들 하게. 자네들만의 힘으로 그 오대가문 인가 뭔가 하는 자들을 모조리 쓸어 없앨 정도로 강해지 게. 그런데……."

주완룡은 한쪽 눈을 찡긋거리며 말을 이었다.

"혹시 이 정도만으로도 자식들을 편애한다는 소리를 들으려나?"

"편애라니요, 당치도 않습니다, 대사형."

화군악은 활짝 웃으며 말했다.

"이 정도는 그저 예쁜 자식 떡 하나 더 주는 것에 불과 하니까요."

* * *

주완룡은 돌아갔다.

배웅을 나섰던 이들이 돌아와 객청에 모였다. 강만리는 조금 전 주완룡과 나눴던 황궁무고에 관한 이야기를 그들에게 해 주었다. 모든 여인이 기뻐하고 즐거워했다.

그때 초목아가 불안한 표정으로 담호에게 소곤거렸다.

"나는 안 되려나?"

"응? 왜? 누나도 우리 식구잖아?"

기뻐하던 담호가 되물었다. 초목아는 여전히 자신이 없는 목소리로 말했다.

"하지만 그래도 외인(外人)이니까……."

"그런 거 없다."

곁에서 가만히 듣고 있던 강만리가 불쑥 끼어들었다.

"담호의 말대로 목아 너도 우리 식구다. 그러니 모든 걸 함께 누릴 자격과 의무가 있는 게다. 기쁨과 즐거움은 물론, 슬픔과 괴로움도 모두 말이다."

초목아의 얼굴이 상기되었다.

강만리는 다시 사람들을 둘러보며 말을 이었다.

"황궁무고에 들기 위해서라도 홍수를 잡아야 합니다. 그러니 다들 힘들더라도 최대한 노력해서 하루빨리 끝낼 수 있도록 합시다."

화군악이 그에게로 다가와 옆구리를 툭 치며 웃었다.

"이렇게 다들 황궁무고에 들어갈 기회가 생긴 건 모두 제 덕분이 아닙니까?"

"그래, 모두 네놈의 덕분이다."

강만리가 한숨을 쉬었다.

"그리고 내 피가 마르는 것도, 심장이 쪼그라드는 것도 모두 네놈 덕분이다. 이러다가 곧 죽을지도 모른다는 생각이 드는 것도 모두 네놈 덕분이지."

"무슨 농담을. 저보다 훨씬 오래 사실 거면서요."

화군악은 장난꾸러기처럼 말하며 어깨를 으쓱거렸다.

"됐다."

강만리는 고개를 저으며 말했다.

"너는 가서 채석장에 있는 사람들에게 이 소식을 전하고 또 안부를 확인해라. 아, 예추도 함께 가라."

"그런 일에 무슨 두 사람씩이나 간답니까? 저 혼자 가도 됩니다."

"아니, 간 김에."

강만리는 다른 이들, 특히 여인들이 듣지 못하도록 문득 목소리를 낮춰 말했다.

"금해가와 금적산 소식도 알아보라는 게다. 더불어 천소유에 대해서도."

화군악의 곁에서 듣고 있던 장예추의 얼굴이 굳어졌다.

7장.
근황(近況)

"자네의 아들이 사용하다가 다시 내 손자에게 물려주면 좋겠군.
그렇게 자네와 내 자손들이 번갈아 가면서 사용하는 게지.
대(代)를 이어 가면서 말일세."

1. 금전보당(金錢寶堂)

"놈을 죽이지 못했다고?"

"죄송합니다. 생긴 것과는 달리 워낙 여우 같은 성격에 미꾸라지 같은 품성을 지니고 있어서 요리조리 잘 빠져나갑니다. 게다가 놈의 주변에는 나름대로 괜찮은 의술 실력을 갖춘 자들이 있습니다. 독을 사용하여 놈을 죽이려면 먼저 그자들부터 없애야 할 것 같습니다."

"상관없다. 어떻게든 놈을 죽여라. 놈이 궁을 빠져나가기 전에 말이다. 필요하다면 모든 걸 동원해도 된다. 돈이든 독이든, 동창이든 금의위든 말이다."

"존명."

명을 받은 자는 뒷걸음질 치면서 처소를 빠져나갔다. 그는 길게 한숨을 쉬면서 땀을 훔쳤다.

"아무래도 이건 너무 심하신 게 아닐까 싶구나. 동창과 금의위까지 동원하라니, 자칫 또 다른 역모 사건으로 번질 수도 있을 텐데 말이지."

그는 심각한 표정을 지으며 중얼거렸지만, 그렇다고 해서 명을 거역할 수는 없었다. 이미 명을 받들었으니 최대한 빠르게, 그리고 아무도 모르게 놈을 해치우는 방법밖에 없는 것이다.

"그럼 먼저 그 순하게 생긴 의생과 늙은 의생부터 해치워야겠지?"

그는 머릿속으로 다음 계획을 구상하며 전각을 나섰다.

어느덧 날이 어두워졌다. 달빛이 희미하게 내려앉는 가운데, 그는 종종걸음으로 황궁의 구중심처를 빠져나갔다.

* * *

늦은 점심 겸 이른 저녁 식사를 마치고 궁을 나선 화군악과 장예추는 서두르지 않고 느릿하게 북경부 거리를 걸었다. 채석장으로 가기 전에 금해가와 금적산의 상황을 알아봐야 했다.

정보라면 역시 황계가 최고일 터지만 또 당연히 황계의 정보력을 이용할 수 없는 터, 그렇다고 개방과 접촉할 수도 없는 까닭에 화군악과 장예추는 당연히 남은 정보 조직인 흑개방으로부터 정보를 얻어야 했다.

　"몸은 어때?"

　화려한 복장으로 오가는 행인들을 따라 길을 걷다가 문득 장예추가 물었다. 화군악은 어깨를 으쓱거리며 말했다.

　"훨씬 더 좋아졌어."

　"그래? 다행이다."

　다시 두 사람은 묵묵히 길을 걸었다. 화군악이 이곳저곳 거리의 상점과 가게들을 둘러보다가 불쑥 입을 열었다.

　"고맙다."

　"응?"

　장예추가 화군악을 돌아보았다. 화군악은 차마 장예추와 시선을 마주치지 못한 채 말을 이었다.

　"네가 날 살려 줬다고 했잖아? 정말 고맙다. 나중에 꼭 갚지, 이 빚은."

　"하."

　장예추가 한숨처럼 웃으며 말했다.

　"그래. 꼭 갚아라, 빚은."

"당연하지."

다시 두 사람의 대화가 끊어졌다. 그들의 대화가 다시 이어진 건 약 반각의 시간이 지나서였다.

"이상하네."

화군악이 혼잣말처럼 중얼거렸다.

"언제부터 우리가 이렇게 대화하기 힘들어졌지?"

"그래? 나는 전혀 그렇지 않은데?"

"그런가? 나만 묘한 기분인 거야?"

"묘한 기분?"

"그래. 너나 나나 예전과 하나도 달라진 게 없는데 괜히 서먹하고 거리감이 들고 그러네."

"그런가?"

장예추는 저도 모르게 멈칫거렸다. 역시 군악이라는 생각이 들었다. 저 동물 같은 감각이야말로 화군악의 본질일 것이다.

장예추는 잠시 생각하다가 천천히 입을 열었다.

"어쩌면 내가 조금 달라지기는 했을 거야."

"뭐가?"

"실은 말이지."

장예추는 망설이다가 천소유에 대해서 이야기를 하기 시작했다. 그녀와 만나서 사랑에 빠지고 결국 헤어지게 된 그 모든 것들을 담담하게 털어놓았다.

화군악은 말없이 가만히 장예추의 말에 귀를 기울였다. 이윽고 장예추의 모든 이야기가 끝났다. 화군악은 싱긋 웃으며 장예추의 어깨를 툭 쳤다.

　"역시 고지식한 녀석이라니까. 변했다고는 하지만 하나도 변하지 않았거든."

　"내가 고지식하다고?"

　"흠, 직선적이라고나 할까? 하나만 보고 일직선으로 달려가는 성격이잖아, 너는."

　"내가 그랬던가?"

　"본인은 외려 잘 모를 수도 있지. 하지만 내가 보기에는 넌 늘 그랬어. 그간 들어왔던 네 이야기도 그렇고."

　화군악의 말에 장예추는 잠시 자신의 과거를 돌이켜봤다.

　오직 살아남아야 한다는 생각에 청령산을 벗어났고, 부모와 친척을 죽인 놈들에게 복수하겠다는 일념으로 살아왔다.

　그리고 마침내 배후라고 할 수 있는 천휘수를 죽인 후, 확실히 장예추는 삶의 목표를 잃었다. 어쩌면 그에게 있어서 화평장의 삶은 덤이라고 할 수 있었다.

　"지금도 그렇잖아? 우리는 지금 북경부 황궁에 와 있고, 대사형에게 하독한 자를 찾는 게 급선무라고. 그런데 너는 아직도 악양부에서 만났던 천소유라는 여인에 대해 생각하고 그녀를 잊지 못하고 있잖아?"

화군악의 말에 장예추는 반론을 펼칠 수가 없었다. 화군악의 말은 계속해서 이어졌다.

"제수씨 배가 태산처럼 불렀더라고. 산달이 언제라고 했지? 기억하고 있어?"

"그게…….."

"그것 봐. 나도 알고 있는 산달을 넌 잊었어. 천소유에게 함몰되어 있는 게지. 그러니 얼른 해결해. 그녀를 죽이든, 아니면 그녀와 하룻밤을 즐기든 어떻게든 끝을 보라고. 그래야 비로소 다른 생각을 할 수 있게 될 테니까."

화군악은 어깨를 으쓱거리며 말을 덧붙였다.

"나야 당연히 그녀를 죽이는 걸 추천하지만."

가만히 듣고 있던 장예추가 불쑥 입을 열었다.

"팔월이지."

"응? 뭐가?"

"혜혜의 산달 말이다. 팔월 중순이라고 했거든."

"오호, 기억났나 보네."

"그래. 내 자식이 태어날 달을 잊을 리가 있겠나?"

장예추는 서늘한 눈빛으로 화군악을 바라보며 말했다.

"그리고 한 가지 네가 모르는 게 있네."

"뭔데?"

"나는 소유, 그녀와 잘 생각은 전혀 없다는 거 말이야."

"아하, 그러셨나?"

"내가 자꾸만 그녀를 떠올리고 미련을 두는 건 그녀 때문이 아니야. 그 시절의, 그러니까 청령산을 떠나온 이후 그나마 가장 행복했던 내 어린 시절의 추억 때문이지."

"으음."

"그때 백팔연관단에서 함께 지냈던 동료들, 교두들과의 추억. 야외 정자에서 수업을 받던 그 어느 날의 청량한 바람, 노곤한 햇빛, 어려운 과제를 하느라 함께 머리를 맞대고 꼬박 새웠던 그날 밤의 풍경, 그 모든 것들이 그녀를 볼 때마다 그녀를 떠올릴 때마다 생각이 나서 미련이 생기고 아쉬움이 남고 아련한 감정이 드는 것뿐이야."

"으음."

'물론 그녀가 내 첫사랑인 까닭도 있겠지만.'

장예추는 그 말을 목 안으로 집어삼켰다.

기실 사내에게 있어서 첫사랑은 불현듯 찾아오는 가슴 아린 추억이었다.

치열하게 살아갈 때나 힘들게 생활할 때는 전혀 떠오르지 않다가, 조금은 여유가 생기고 지금 이 시간이 '행복하다'라는 생각이 드는 바로 그 순간, 지난 세월 동안 잊고 살았던 첫사랑의 여인이 저도 모르게 자신의 망막 위로 새겨지는 것이다.

장예추는 헛기침을 하며 입을 열었다.

"어쨌든 너한테 털어놓으니 한결 속이 시원해지고 머릿속이 맑아진 것 같다."

화군악이 씨익 웃으며 말했다.

"내가 원래 상담을 잘하거든. 남의 이야기를 잘 들어 주는 편이라서 다들 내게 자신의 고민을 털어놓더라고."

"됐네. 그런 거 한 번도 보지 못했어."

"그야 네가 몰라서 그렇지. 내가 한때는 말이지……."

"어, 저 골목인가 보다."

장예추가 화군악의 말을 자르며 손을 들어 어느 골목을 가리켰다. 화군악이 눈살을 찌푸리며 시선을 돌렸다.

객잔과 객잔 사이로 난 좁은 골목길. 그 안쪽으로 금전보당(金錢寶堂)이라는 네 글자가 적힌 붉은색 깃발이 보였다. 바로 그곳이 나찰염요가 알려 준 흑개방 북경 지부였다.

"그럼 이야기는 나중에 하기로 하고."

두 사람은 곧장 골목 안쪽으로 걸음을 옮겼다.

* * *

금전보당은 당포(當鋪)였다.

예로부터 범출물질전(凡出物質錢) 속위지당(俗謂之當)이

라 하여 물건을 내고 돈을 꾸는 일을 속된 말로 당이라 했고, 그 당을 하는 곳을 당포 혹은 전당포(典當鋪)라 불렀다.

화군악과 장예추는 금전보당 입구에 서서 굳게 닫혀 있는 대문을 두드렸다.

잠시 후 문이 열리고 우락부락하게 생긴 장한이 고개를 내밀었다. 장한은 두 사람의 아래위를 훑어보면서 물었다.

"뭘 맡기려고?"

화군악이 소매 춤에서 검은 동전 하나를 꺼내 보였다.

일순 장한의 콧잔등이 씰룩거렸다. 그 검은 동전은 나찰염요가 건네준, 흑개방과 직접 거래할 수 있는 암표(暗標)였다.

"따라오시오."

장예추와 화군악은 곧 장한의 안내를 받아 금전보당으로 들어섰다. 거창한 이름과는 달리 실내는 허름하고 꾀죄죄했다. 구불구불한 복도를 따라서 안쪽으로 들어서자 또 다른 철문이 앞을 가로막았다.

장한이 철문 앞에서 소곤거렸다.

"흑전(黑錢)의 손님이 찾아오셨습니다."

그러자 철문 안쪽에서 밖을 확인하는 조그만 사각형 구멍이 열리고 한 쌍의 눈이 드러났다.

"무슨 일이시우?"

늙수그레한 목소리가 그 구멍 안쪽에서 흘러나왔다.

장한은 장예추와 화군악을 돌아보며 대화하라는 듯이 어깨를 으쓱거리고는 한쪽으로 물러섰다.

화군악이 나서서 말했다.

"두 가지 정보를 듣고 싶소."

2. 밤 나들이

노인이 말했다.

"말씀해 보시오."

"하나는 금해가의 현재 근황(近況), 다른 하나는 금적산의 현재 상황. 이렇게 두 가지요."

"으음. 현재 상황이라 하시면 전체 상황을 말씀하시는 것이오? 금전의 이동이나 상인들의 움직임……."

"아니오. 가신을 포함하여 그들이 고용한 무사들의 상황만 알고 싶소."

"그렇구려. 잠시 기다리시오. 아, 정보료는 은자 팔백 냥이오. 흑전의 손님이시라 싸게 책정했소이다."

화군악은 품에서 전표 다발을 꺼내 세면서 물었다.

"건(件)당 사백 냥인가 보오?"

노인이 희미하게 웃었다.

"아니오. 금적산의 정보가 오백 냥, 그리고 금해가의 정보가 삼백 냥이오."

"음? 금해가의 정보가 더 싼 이유라도 있소?"

"그만큼 금적산의 행사(行事)가 신비로우니까."

"그렇구려."

화군악은 그 좁은 사각형의 구멍으로 전표들을 건넸다. 전표를 받아 든 노인은 장한에게 말했다.

"다과(茶菓)를 내드려라."

장한이 고개를 숙였다.

"네, 노야."

장한은 화군악과 장예추를 객청으로 안내했다. 그러고는 어디론가 사라졌다가 다시 차와 과자를 들고 나타났다.

"다과를 즐기시면서 잠시만 기다리십시오."

장한은 그 말을 남기고 다시 사라졌다.

화군악이 소병(素餅) 하나를 집어 들며 말했다.

"문지기가 저 정도 무공을 지니고 있다니, 생각보다 흑개방이라는 곳이 만만치 않군그래."

장예추가 가볍게 눈살을 찌푸렸다.

"소병 안에 뭐가 들었는지 알고 함부로 먹을 생각을 하지? 그렇게 독에 당해 놓고서도 아직 정신을 차리지 못했나 보네."

"아, 네가 있잖아."

화군악이 웃으며 말했다.

"내가 중독되면 또 네가 살려 줄 테니까."

그는 거침없이 소병을 와작와작 씹어 먹었다.

장예추가 얕은 한숨을 내쉬고는 차분한 어조로 말했다.

"하지만 북경 지부치고는 사람이 거의 없는데? 저 장한과 노인, 인기척은 그게 전부야."

"모르지. 기척을 숨긴 채 어딘가에 은밀하게 숨어서 우리를 관찰하고 있을지도."

"하기야 저 장한의 무위를 보면 그만한 고수들이 없을 것 같지는 않으니까. 조심하자고. 조심해서 나쁠 건 없으니까."

장예추와 화군악은 우락부락하게 생긴 장한이 일반 문지기와는 어울리지 않는 절정의 무위를 지닌 것에 대해 잔뜩 경계했다.

하지만 그들의 경계심과는 달리, 이곳 금전보당에서의 일은 순순히 풀렸다.

잠시 후 다시 조그만 구멍이 열리고 노인의 목소리가 들려왔다.

"정보는 여기 있소이다."

화군악이 자리에서 일어나 철문 앞으로 다가갔다. 노인

이 손바닥만 한 쪽지를 건네주며 말했다.

"예서 읽고 태우시오."

화군악은 대답 대신 성의 없게 고개를 끄덕이며 쪽지의 내용을 읽었다. 그러고는 다시 노인에게 건네며 말했다.

"노인장이 처리하시오."

노인은 말없이 쪽지를 건네받았고, 화군악은 "그럼." 하고는 몸을 돌렸다.

장예추가 그 뒤를 따라 복도를 걸으며 물었다.

"쪽지의 내용은?"

화군악은 어깨를 으쓱거리며 말했다.

"별거 없어. 금해가에서 오대가문 전체에 연락을 취해 회의를 여나 봐. 정주 쪽으로 무사들이 집결하고 있다는 걸로 보아 아마도 건곤가에서 회담이 열리는 것 같아."

장예추는 살짝 눈을 가늘게 뜨며 재차 물었다.

"금적산은?"

"별반 움직임이 없다는데?"

"이런. 팔백 냥을 그냥 날린 것 같은데."

"그러니까."

두 사람은 대화를 나누면서 복도를 빠져나와 정문에 이르렀다. 예의 그 장한이 정문 앞에서 기다리고 있다가 문을 열어 주며 말했다.

"원하던 정보를 얻으셨기를."

화군악이 피식 웃으며 말했다.

"좋겠소이다, 아주 쉽게 돈을 벌어서."

장한은 그 우락부락한 외모와는 달리 정중한 어조로 말했다.

"이번에 부족했다면 다음에는 넘치도록 드리겠습니다."

"뭐, 다음에 오게 된다면 그리해 주시오."

"그럼 살펴 가십시오."

장한은 끝까지 정중한 태도로 화군악과 장예추를 배웅했다. 그는 그들이 골목을 빠져나가는 뒷모습을 가만히 지켜보다가 천천히 문을 닫았다. 그리고 다시 복도를 따라 철문 앞에 이르러 입을 열었다.

"통문(通文)을 돌리도록. 화평장의 패거리가 북경부에 나타났다고 말이다."

철문 안에서 늙수그레한 음성이 들려왔다.

"그리하겠습니다, 지부주."

장한은 팔짱을 끼며 중얼거렸다.

"아마도 설벽린이라는 자 역시 저들과 함께 있겠지. 드디어 남녕의 수모를 갚을 때가 왔구나."

장한의 두 눈에서 새파란 살기가 번들거렸다.

그런 뒷사정이 있는 줄도 모른 채 장예추와 화군악은 채석장으로 향했다. 그들이 채석장에 당도했을 때는 이미 날이 어두워져 있었다.

채석장에 남아 있던 화평장 식구들이 모두 뛰어나와 그들을 반겼다. 화군악은 객청의 차탁에 앉으며 물었다.

"설 형님과 헌원 노대는요?"

양위는 장예추의 옆에 서서 의미심장한 표정을 지으며 대답했다.

"글쎄요."

화군악이 고개를 갸웃거렸다.

"여기 안 계시오?"

"물론 이곳에 계십니다만……."

"그런데요?"

"두 분의 근황은 제가 함부로 발설할 수가 없습니다."

"왜죠?"

"두 분이 그리 말씀하셨으니까요."

"이런."

화군악은 당황한 표정을 지으며 장예추를 돌아보았다. 장예추도 난감한 얼굴이 되었다.

양위는 두 사람의 반응을 즐기듯 소리 없이 웃으며 입을 열었다.

"굳이 귀띔해 드리자면 나쁜 일은 아닙니다. 그러니 돌아가셔서 기다리다 보면 두 분께서 좋은 소식을 가지고 나타날 겁니다."

"아니, 양 당주. 우리 사이에 너무 그렇게 매정하게 굴지 마시고 조금 더 언질을 주시지 그럽니까? 내 양 당주께 이야기를 들었다고 입도 뻥긋하지 않을 테니까 말입니다."

화군악이 궁금해 미치겠다는 표정으로 말했다. 그러나 양위는 싱글벙글 웃기만 할 뿐 더는 말하지 않았다.

결국 화군악은 포기한다는 듯 두 손을 들며 말했다.

"어쩔 수 없죠. 양 당주의 말씀대로 설 형님과 헌원 노대가 짜안 하고 나타나기만을 기다릴 수밖에."

"잘 생각하셨습니다. 그럼 모처럼 오셨으니 술 한잔 어떻습니까?"

"좋죠."

이후 화군악과 장예추, 그리고 양위는 함께 마주 앉아서 밤 늦게까지 술을 마시고는 각자 제 방으로 돌아갔다.

새벽 부엉이 우는 소리가 멀리서 드릴 무렵, 코를 골며 잠자던 화군악이 거짓말처럼 일어났다.

"궁금한 건 못 참지, 내 성격에."

화군악은 소리 없이 방을 나섰다. 그리고 천조감응진력을 발동하여 설벽린와 헌원중광의 기척을 찾기 시작했다.

채석장 주변에 있는 십여 채의 크고 작은 별채 중, 사람의 기척이 있는 곳은 화군악이 방금 걸어 나온 별채를 포함하여 모두 네 채였다.

　'한 채에는 양 당주와 북해빙궁 사람들이 묵고 있을 테고 다른 한 채에는 고 형님과 고용 무사들이 있겠지. 그럼 가장 인기척이 적은 곳에 설 형님과 헌원 노대가 계실 터⋯⋯.'

　그렇게 생각하며 발길을 옮기던 화군악은 문득 고개를 갸웃거렸다.

　'그리고 보니 고 형님의 모습도 보이지 않았는데? 무슨 일이지, 그건 또?'

　물론 몇 달 전 담호에게 일패도지(一敗塗地)한 이후 한 없이 의기소침해져서 회의에도 참석하지 않던 고굉이기는 했다. 하지만 이렇게 코빼기도 내비치지 않을 정도로 몰인정한 사람은 아니었다.

　'흠, 나중에 양 당주에게 물어봐야겠구나.'

　화군악은 그렇게 생각하며 구석진 곳에 있는 별채로 다가갔다. 확실히 별채 안에서는 두 개의 인기척이 희미하게 흘러나오고 있었다. 호흡이 일정하게 느릿한 것이 아무래도 푹 잠들어 있는 모양이었다.

　'흐흐. 도대체 무슨 짓을 꾸미는 거야, 이 두 양반이.'

　화군악은 조심스럽게 별채로 발을 디뎌 놓으려 했다. 바로 그 순간이었다.

　갑자기 별채의 벽 곳곳에서 구멍이 열리더니 그 안에서 수십 개의 쇠화살이 쏟아졌다. 동시에 별채의 지붕에서도 커다란 철망(鐵網)이 날아들어 화군악을 덮쳤다.

어지간한 침입자라면 그 쇠화살 세례에 목숨을 잃거나 아니면 꼼짝없이 철망에 갇히는 신세가 되었을 것이다.

물론 화군악은 그 느닷없는 상황에서도 빠르게 반응하여 움직였다. 쇠화살들은 화군악의 옆을 스치고 날아갔으며, 철망은 애꿎은 허공을 끌어안고 땅에 떨어졌다.

요란한 소리가 울려 퍼지는 순간이었다.

"돌아가라!"

헌원중광의 목소리가 그 뒤를 이어 들려왔다.

화군악이 웃으며 말했다.

"접니다, 군악이요."

"돌아가라니까!"

"얼굴만 뵙고 돌아가겠습니다, 그럼."

"한 걸음이라도 들어선다면 아예 이 별채를 폭파할 것이다!"

의외로 헌원중광은 완강하게 화군악의 출입을 거부하고 있었다. 화군악은 난감한 표정으로 고개를 갸웃거렸다.

'아니, 도대체 무슨 꿍꿍이야?'

화군악은 헌원중광이 얼마나 고집 센 노인인지 익히 잘 알고 있었다. 만약 화군악이 별채에 들어선다면 진짜로 폭파할지도 모르는 일이었다.

결국 화군악은 한숨을 쉬며 말했다.

"그럼 다음에 뵙겠습니다."

헌원중광은 아무런 말도 하지 않았다.

화군악은 잠시 기다리다가 결국 아무런 성과도 얻지 못한 채 밤 나들이를 포기하고 돌아서야 했다.

3. 죽마(竹馬)

"칠보추혼산이 묻으면 옷자락이 시커멓게 타들어 갑니까?"

강만리의 질문에 만해거사는 신중한 표정을 지으며 고개를 갸우뚱거렸다.

"글쎄, 그건 처음 들어 보는 경우인데?"

구자욱도 머리를 벅벅 긁으며 말했다.

"사실 무림의 독에 관해서는 그다지 전문적이지 않아서……."

"그렇다면 예추네 제수씨를 데리고 와야겠구려."

예추네 제수씨, 즉 당혜혜라면 당연히 독의 전문가라고 할 수 있었다.

그녀라면 혹시 알 수도 있겠다 싶어서, 강만리는 자리에서 일어나 예예를 찾았다. 자신이 직접 당혜혜를 찾는 것보다는 예예에게 부탁하는 게 낫겠다는 생각에서였다.

예예는 방에서 강정과 놀고 있었다. 강만리가 방으로

들어서자 강정이 "빠빠!" 하고 달려와 안겼다.

"어이쿠! 정말 많이 컸구나."

강만리는 강정을 안아서 볼을 비비고는 그대로 허공으로 높이 던졌다가 받았다. 강정이 까르르 웃으며 계속해 달라고 요구했다.

강만리는 몇 차례 그렇게 놀아 주고는 바닥에 내려놓았다. 강정은 손을 벌렸지만 "이제 그만." 하는 강만리의 말에 미련 없이 뒤돌아 예에에게로 뛰어갔다.

묘한 기분이었다.

이제 그만하라고 말한 건 강만리였고 아들은 순순히 아빠의 말에 따라 등을 돌렸을 뿐인데 그게 왠지 서운하고 아쉬웠던 것이다.

속으로는 아들 녀석이 조금 더 떼를 쓰거나 아빠와 놀아 달라고 요구하기를 바랐던 것일까.

강만리는 쩝, 소리를 내며 침상에 앉았다.

"애가 욕심이 없네."

그가 투덜거리자 예예가 웃으며 말했다.

"늘 그랬잖아요. 안 된다고 하면 더 이상 요구하지를 않는다니까요. 아, 당신은 밖으로만 돌아다녀서 잘 모를 수도 있겠네요."

비아냥일까.

강만리는 애써 모른 척하며 입을 열었다.

"많이 컸다, 정말. 못 본 지 겨우 한 달 조금 지난 거 같은데."

"원래 이맘때 아이들이 부쩍 크거든요. 하루가 다르게, 사흘이 지나면 몰라볼 정도로 크죠. 어쩌면 사별삼일(士別三日)이 아니라 아별삼일(兒別三日)이라는 말이 더 잘 어울릴 것 같아요."

아들과 삼 일 헤어졌다가 다시 만나면 괄목상대(刮目相對)라는 건가.

"아, 요즘 아창을 보고 나름대로 무공 수련도 곧잘 따라 해요."

"호오, 그래?"

"아창이 마보(馬步)를 서면 옆에서 뒤뚱거리며 따라 하고, 권각술을 펼치면 요 짧은 팔다리로 흉내를 낸답니다. 그게 얼마나 귀엽고 대견한지 모르겠어요. 아, 당신은 보지 못해서 모르겠네요."

왜지? 내가 뭘 잘못했을까?

강만리는 머리가 아프도록 고민했지만 알 수가 없었다. 그렇다고 계속해서 모른 척할 수도 없었다. 결국 그는 진지한 표정을 지으며 입을 열었다.

"원하는 게 있으면 말하게. 내가 뭘 잘못했는지 말일세. 알아야 반성하고 고칠 게 아닌가? 그렇게 마냥 삐쳐 있으면 내가 뭘 어떻게 할 수 있겠나?"

예예는 가만히 강만리의 얼굴을 들여다보다가 길게 한숨을 내쉬고는 포기했다는 표정으로 말했다.

"오늘이 우리 아정의 생일이었거든요."

"오늘이? 아……!"

강만리는 제 이마를 쳤다.

"그렇군. 그걸 잊어버리고 있었네. 미안하이. 당신도 잘 알다시피 내가 요즘 정신이 없지 않은가? 올해는 어쩔 수 없지만 내년에는 꼭 기억해서 크게 생일잔치를 벌이리다. 그러니 용서해 주시게."

"그게 미운 거예요."

예예는 냉랭하게 말했다.

"그래요. 당연히 잘 알고 있죠. 태자 전하의 사건을 해결하랴, 우리에게 독을 푼 자를 찾아내랴, 정신이 없는 게 당연하죠."

"이해해 주니 고맙……."

"그런데 말이에요. 작년에도 재작년에도 지금과 똑같은 말씀을 한 거 아세요?"

강만리의 입이 절로 닫혔다.

'작년에? 재작년에? 내가?'

기억이 나지 않았다.

성도부 사람들의 세간살이는 젓가락이 몇 개인지까지 똑똑하게 기억하는 강만리였다. 요 몇 년간 계속해서 싸워 왔던 무적가나 철목가, 금해가의 인물들의 특징도 빠지지 않고 기억하고 있었다.

그런데 작년, 재작년 이날의 기억은 전혀 없었다. 예예에게 무슨 말을 했는지도, 강정의 생일을 어떻게 보냈는지도 전혀 기억나지 않았다.

가만히 강만리를 쳐다보던 예예가 다시 땅이 꺼져라 한숨을 쉬었다. 그러고는 조금 전보다는 그나마 차분하게 가라앉은 목소리로 말했다.

"내년에는 아정이 당신더러 함께 놀아 달라고 하지 않을지도 몰라요. 우리 아정은 생각보다 쉽게, 빠르게 포기하거든요."

강만리는 말을 할 수가 없었다. 천하를 호령하는 자들 앞에서도 전혀 기죽지 않고 당당히 자신의 의견을 말하고 그들을 설득해 왔던 그였지만, 지금 예예 앞에서는 입도 뻥긋할 수가 없었다.

예예도 말을 하지 않았다. 그녀는 강정을 끌어안고 침상에 누웠다.

강만리는 머뭇거리다가 방을 나섰다. 그는 어깨가 축 늘어진 채 객청으로 돌아왔다.

기다리고 있던 만해거사와 구자육이 그를 돌아보고는 고개를 갸웃거렸다.

"장 부인은?"

만해거사의 물음에 강만리는 그제야 "아!" 하고 탄식했다. 왜 예예를 찾아갔는지 까마득하게 잊고 있었던 것이다.

강만리는 자리에 털썩 주저앉으며 중얼거렸다.

"빌어먹을. 정말 바보로구나, 나는."

*　　*　　*

"푸하하하!"

주완룡이 웃음을 터뜨렸다. 그는 눈물까지 찔끔거리며 웃다가 힘겹게 말했다.

"그래. 정말 바보다, 그대는."

다음 날 아침이었다.

전날 수사에 대한 보고와 또 안부 인사를 드릴 겸 황태자 주완룡을 찾아간 자리에서 강만리는 어젯밤 예예와 있었던 일을 이야기했다. 가만히 이야기를 듣던 주완룡은 그렇게 껄껄 웃으며 말했다.

"아무리 바빠도 마누라와 자식 생일은 기억해야지. 챙겨 주지는 못하더라도 축하는 해 줘야지. 그게 바가지 긁히지 않고 오손도손 살아가는 방법이다."

주완룡은 확실히 건강해지고 있었다. 처음 보았을 때보다, 또 어제 함께 식사할 때보다도 훨씬 유쾌하고 쾌활한 모습이었다. 혈색도 많이 좋아졌으며, 거동에도 불편함이 없어 보였다.

강만리는 문득 구자육이 했던 말이 떠올랐다.

─진짜 황궁이더라니까요. 없는 게 없어요. 필요하다고 말만 하면 바로 가져다주더라니까요. 어쩌면 천년하수오 (千年何首烏)나 만년설삼(萬年雪蔘)도 달라고 하면 갖고 올 거 같아요. 태자 전하의 몸에서 빠르게 수은의 독이 빠져나가는 건 다 그 약재들 덕분이죠.

증상을 파악하고 병명(病名)을 알게 되면, 거기에 치료 하는 방법까지 알고 있다면 당연히 빠르게 완쾌할 수 있 었다. 그리고 구자육의 장담대로 주완룡은 열흘 이내에 완쾌할 것이다.

강만리는 그런 생각을 하면서 투덜거렸다.

"그러는 대사형께서는 일일이 태자비의 생일과 황손 (皇孫) 저하(邸下)의 생일을 챙기십니까?"

"물론이다."

주완룡이 미소를 지으며 말했다.

"남들이 보기에는 어쩔지 모르나 우리 부부의 금슬은 매우 좋은 편이다. 나는 비(妃)를 아끼며, 비도 나를 끔찍 하게 여기지. 그래서 내 건강을 챙긴다면서 매번 온갖 보약과 보양식을 가져온다네."

강만리는 무심코 엉덩이를 긁적이려다가 황급히 손을 떼며 말했다.

"태자비께서 대사형을 얼마나 사랑하시는지는 저도 잘 알고 있습니다. 황궁에 온 첫날, 대사형을 뵙자마자 태자비께서 저를 부르셨습니다. 반드시 흉수를 잡고 또 대사형의 건강을 책임지라고 말입니다."

"흠, 그 이야기는 들었네. 실은 나도 꽤 놀랐지. 워낙 내성적인 성격인지라 외인을 만나는 건 정말 이례적인 일이었으니까."

"그랬군요."

"그건 그렇고…… 밖에 누가 있느냐?"

주완룡의 말에 대기하고 있던 환관이 대답했다. 주완룡은 웃는 목소리로 그에게 지시했다.

"전각 어딘가에 아들 녀석이 어렸을 적 사용했던 죽마(竹馬)가 있을 것이다. 깨끗하게 치장하여 강만리의 아들 강정에게 선물로 주어라."

거기까지 말한 주완룡은 강만리를 돌아보며 걱정스럽다는 듯이 물었다.

"설마 쓰던 물건을 준다고 욕하지는 않겠지?"

"아닙니다, 대사형."

강만리는 황급히 허리를 숙이며 말했다.

"황손 저하께서 사용하셨던 물건입니다. 그 귀한 걸 물려받다니, 실로 영광일 따름입니다."

"하하, 그럼 다행이고. 그게 실은 내가 어렸을 적에도 즐겨 가지고 놀았던 물건이라네."

주완룡은 유쾌한 표정을 지으며 말했다.

"자네의 아들이 사용하다가 다시 내 손자에게 물려주면 좋겠군. 그렇게 자네와 내 자손들이 번갈아 가면서 사용하는 게지. 대(代)를 이어 가면서 말일세."

강만리는 왠지 모르게 북받쳐 오르는 감정을 이기지 못하고 저도 모르게 부복하며 말했다.

"반드시 그리하겠습니다, 대사형."

8장.
독연(毒煙)

"하도 더워서 잠이 오지 않아 뒤척거리고 있었는데 말이지.
갑자기 뭔가 달콤하기도 하고,
시원하기도 하고 부드럽기도 한 향이 나는가 싶더니 이내 졸리지 뭔가?"

독연(毒煙)

1. 황천몽연(黃泉夢煙)

한밤중에도 등이 후끈거릴 정도로 더운 건 기록적인 무
더위가 시작될 징조였다.

창은 열어 두었지만 바람은 없었다. 외려 낮 동안 뜨겁
게 달구어진 대지의 열기가 창을 타고 방 안으로 흘러들
고 있었다.

무공을 익혀 내공을 쌓은 이들조차 더위는 견딜 재간이
없었다. 사람들은 능라(綾羅) 이불도 걷어 내고 속곳 바
람으로 침상에 누워 애써 잠을 청했다.

제일 먼저 이변을 감지한 건 당혜혜였다.

배가 태산처럼 불룩해진 그녀에게 무더위는 그야말로

쥐약과도 같았다. 몇 번이나 몸을 씻어도 돌아서면 온몸이 땀에 흥건히 젖었다. 몸은 한없이 무거웠고 침상은 용광로처럼 뜨거웠으니, 좀처럼 잠이 올 리가 만무했다.

그런 까닭이었다, 문득 방 안의 공기가 역겹다는 사실을 알아차린 것은.

'이건?'

안색이 급변한 그녀는 자리에서 벌떡 일어났다.

일순 머리가 핑 돌고 어지러워서 하마터면 그 자리에 주저앉을 뻔했다. 그녀는 황급히 호흡을 멈추고 방 안 곳곳을 둘러보았다.

어두컴컴한 공간, 높은 천장, 반쯤 열린 창, 그 어딘가에서 불쾌하고 역겨운 기분을 들게 하는 무언가가 흘러들고 있었다.

당혜혜는 크게 소리쳤다.

"황천몽연(黃泉夢煙)이라니! 어디서 감히 당가 사람에게 독을 쓰려 하느냐?"

동시에 그녀는 두 손을 크게 휘저었다. 허공에서부터 천천히 내려앉고 있던 희뿌연 연기가 사방으로 흩어졌다.

당혜혜의 시선이 천장 구석진 곳으로 향했다. 손가락 굵기의 대롱 하나가 보였다. 그리고 그 대롱에서 희뿌연 연기가 흘러나오고 있었다.

당혜혜는 곧장 내공을 운기하여 쌍장을 뻗었다. 강력한 장력이 천장을 향해 쏟아졌고, 굉음과 함께 지붕이 산산조각 부서져 내려앉았다.

당혜혜는 지면을 박차고 지붕 위로 뛰어올랐다.

하지만 지붕 위에는 아무도 없었다. 당혜혜가 소리치는 순간 이미 놈은 지붕을 떠나 자취를 감춘 것이다.

"무슨 일이오?"

뒤늦게 그 소란에 강만리와 담우천이 깜짝 놀라 지붕 위로 달려왔다. 그들은 지붕에 홀로 우뚝 서 있던 당혜혜를 보고는 얼굴을 붉히며 황급히 고개를 돌렸다.

당혜혜는 그제야 비로소 속이 훤히 들여다보이는 능라의(綾羅衣)만을 걸치고 있었다는 사실을 깨달았다.

그녀의 부풀어 오른 젖무덤과 그보다 몇 배는 커진 배와 그 아래로 까만 수풀이 달빛에 고스란히 내다보이는 망사 차림의 옷.

당혜혜는 애써 태연한 표정을 유지한 채 말했다.

"누군가 독연(毒煙)을 투여하려 했어요. 어쩌면 다른 침소에도 투여했을지 모르니 모든 사람의 안부를 확인해야 해요."

강만리는 고개를 돌린 채 말했다.

"내가 사람들의 안부를 확인할 터이니 담 형님은 놈의 흔적을 살펴 주십시오."

담우천 역시 고개를 돌린 채 말했다.

"그러지."

강만리는 여전히 고개를 돌린 채 당혜혜에게 물었다.

"제수씨는 괜찮으시오?"

"괜찮아요. 미처 독연이 방 안 가득 내려앉기 전에 알아차렸거든요."

"천만다행이오. 그럼 침소로 돌아가서 옷부터 챙겨 입으시고 객청으로 나와 주시오. 아무래도 제수씨의 도움이 필요할 것 같으니 말이오."

"그렇게 하죠."

두 사람이 대화를 나누는 동안 담우천은 홀로 지붕 위의 흔적을 샅샅이 훑고 있었다. 강만리는 그런 담우천을 힐끗 보고는 서둘러 지붕 아래로 내려갔다.

당혜혜도 지붕에 난 구멍을 통해서 침소로 뛰어내린 다음 황급히 옷을 갈아입고 객청으로 나갔다.

한편 지붕 곳곳을 살피던 담우천은 먼지처럼 내려앉은 희미한 족적을 찾아냈다.

'거의 보이지 않을 정도의 미세한 족적이다. 이 정도면 답설무흔(踏雪無痕) 수준의 무위를 지닌 고수다.'

답설무흔은 곧 눈을 밟고 걸어가도 발자취가 남지 않는다는 경신술로, 최소한 절정에 이른 내공을 지녀야 비로소 펼칠 수 있는 상승무공이었다.

'한 명이군. 그렇다면 오직 제수씨만을 노린 암습이었을까?'

담우천은 그렇게 생각하며 족적의 흔적을 따라 놈이 사라진 방향을 가늠했다. 믿어지지 않게도 동궁 북쪽으로 달아난 것 같았다.

담우천의 짙은 눈썹이 꿈틀거렸다.

'강 아우의 말대로라면 동궁 북쪽으로는 함부로 들어가면 안 된다고 하던데.'

사실이었다.

동궁은 남북으로 길게 구획된 직사각형 구조로, 북쪽으로는 황태자를 비롯한 태자전과 공주궁이 있었다.

그야말로 구중심처(九重深處)인 그곳에는 출입증패를 가진 자라 할지라도 함부로 출입할 수가 없었다. 특히 밤에는 환관을 비롯한 그 누구도 들어설 수가 없는 곳이었다.

담우천은 잠시 생각하다가 어깨를 살짝 으쓱거렸다.

'들키지만 않으면 되겠지.'

간단하게 결정을 내린 담우천은 곧장 동궁 북쪽을 향해 야조(夜鳥)처럼 밤하늘을 날아올랐다.

강만리는 방마다 문을 두드리며 안의 상황을 확인했다. 대부분 조금 전 소란에 놀라 깨어 있었는지, 강만리가 문을 두드리자마자 무슨 일이 있느냐고 물으며 문을 열어 주었다.

강만리는 안도의 한숨을 내쉬며 별일 아니니 들어가서 쉬라고 말했지만, 한 번 잠에서 깬 사람들은 결국 우르르 객청으로 몰려나왔다.

'우리 식구는 물론, 군악네 식구들도 무사하고 담 형님 네도 괜찮아 보인다. 그렇다면 흉수는 오직 예추네 제수 씨만 노리고 암습했다는 건데…… 그건 또 무슨 이유에 서이지?'

모든 이들의 안전을 확인한 후 강만리는 객청으로 걸어 가며 고개를 갸웃거리다가 저도 모르게 걸음을 멈췄다. 미처 살펴보지 못한 곳이 남아 있었던 것이다.

'아차!'

강만리는 한걸음에 복도를 가로지른 다음 객청을 지나 쳐서 밖으로 달려 나갔다. 그러고는 별채 구석진 곳에 세 워진 약당으로 뛰어가 단번에 객청 문을 열어젖히며 소 리쳤다.

"만해 사부! 구 당주!"

지붕에 구멍이 뚫릴 정도의 소란이었다. 구자육이라면 몰라도 만해거사가 그 소음을 듣지 못할 리가 없었다. 그 럼에도 불구하고 여태 만해거사의 모습이 보이지 않았다.

불길한 예감이 객청 안으로 뛰어드는 강만리의 등골을 파고들었다.

"만해 사부!"

강만리는 대답 없는 만해거사를 부르며 그의 침소로 달려갔다.

쾅!

문을 열고 자시고 할 새도 없었다. 한 번의 발길질로 방문을 부수고 들어간 순간, 강만리는 저도 모르게 인상을 찌푸리며 코를 쥐어 막았다. 뭔가 부드러우면서 향긋한 냄새가 났기 때문이었다.

'이게 그 독연인가 보구나!'

강만리는 그렇게 생각하면서, 침상에 죽은 듯 누워 있는 만해거사를 한 손으로 들어 어깨에 메고는 서둘러 약당 밖으로 나왔다.

약당 앞마당에 만해거사를 내려놓은 강만리는 다시 코를 쥔 채 객청으로 뛰어들었다. 곧바로 구자욱의 침소로 달려간 강만리는 이번에도 힘껏 발길질을 하여 문을 박살 내고 안으로 들어섰다.

구자욱도 평온한 모습으로 잠들어 있었다. 이 무더위 속에서, 그렇게 요란한 소동이 벌어진 가운데에서도 구자욱의 잠들어 있는 모습은 그저 평화롭기 이를 데가 없었다.

반면 강만리는 더없이 다급한 얼굴로 구자욱을 어깨에 걸쳐 메고는 서둘러 방을 빠져나왔다. 단숨에 객청을 뛰

쳐 나온 강만리는 만해거사의 곁에 구자육을 내려놓은
다음, 두 사람의 맥과 호흡을 살폈다.

"휴우."

안도의 한숨이 절로 흘러나왔다.

가늘기는 했지만 맥은 정상적으로 뛰고 있었고, 호흡
역시 면면부절(綿綿不絶) 끊이지 않고 이어졌다.

강만리는 이마에 맺힌 식은땀을 훔친 다음, 두 사람을
양쪽 옆구리에 끼고 성큼성큼 별채 객청으로 향했다.

객청에 모여 있던 여인들이 모두 놀라 달려 나왔다. 강
만리는 그녀들의 도움을 받아서 만해거사와 구자육을 객
청 탁자 위에 눕혔다.

"천만다행이에요."

신중한 얼굴로 두 사람의 맥문을 짚던 당혜혜가 입을
열었다.

"조금만 더 늦게 발견했더라면 두 분 모두 황천몽연에
의해 잠자듯 목숨을 잃었을 거예요."

그녀의 말에 여인들과 강만리는 다시 한숨을 내쉬었
다. 몇몇 이들은 긴장이 풀린 듯 차탁에 철썩 주저앉기도
했다.

강만리가 물었다.

"해독약은 있소이까?"

"이건 해독약이 필요 없어요."

당혜혜가 대답했다.

"잠시 이대로 두면 몸 안에 있던 독연들이 저절로 빠져나갈 테니까요. 아마도 두 분은 아주 푹 잤다, 라고 하면서 깨어나실걸요?"

"허어."

"원래 황천몽연이라는 독이 그런 독이에요. 잠들어 있는 상태에서 독연을 계속 흡입하게 되면 사지가 마비되고 정신을 잃게 되죠. 그 상태에서도 계속 흡입하게 되면 결국 절명에 이르는 게 이 황천몽연의 특징이거든요."

당혜혜는 한숨 돌린 후 다시 말을 이어 나갔다.

"즐거운 꿈을 꾸도록 하라. 황천(黃泉)으로 가는 길은 멀고도 험하니. 뭐 그런 시구(詩句)도 있을 정도니까요."

잠자코 듣고 있던 강만리는 뭔가 알아차린 듯한 표정을 지으며 물었다.

"설마 그 황천몽연이 사천당문의 독이오?"

"네."

당혜혜는 고개를 끄덕였다.

"이른바 당문십대절독(唐門十大絕毒) 중의 하나죠. 그래서 더 괘씸하고 화가 나네요. 감히 제 앞에서 당문의 절독을 사용하려 들다니 말이에요."

2. 십대절독(十大絕毒)

일반적인 독과는 달리, 사천당문의 절독은 모두 특이하고 기이하며 신비로웠다. 독마다 묘한 시구가 있는 것도 바로 그러한 이유에서였다.

또한 독의 이름도 특이해서 손님을 환영하는 한밤중의 연회라는 의미의 환빈야연(歡賓夜宴)이나, 극락향(極樂香)이나 망부혈루(亡夫血淚) 등 대부분 그 명칭만으로는 독인지 아닌지 전혀 알 수가 없었다.

"어쨌든 두 사람이 최대한 그 황천몽연에서 빠져나올 방법은 없소이까?"

강만리가 물었다.

"물론 있어요."

당혜혜는 잠시만 기다리라는 말을 남기고는 제 방으로 돌아갔다. 예예와 정소흔이 차를 준비하는 가운데 소화는 다시 아이들을 재우러 방으로 향했다. 나찰염요가 조심스러운 어조로 물었다.

"그이는요?"

"아, 흉수의 뒤를 쫓는 중입니다."

"이 한밤중에요? 그것도 동궁에서요?"

"형님이니까요."

강만리는 대수롭지 않다는 투로 말했다.

당금 천하의 주인은 황제가 기거하는 곳이니만큼 황궁의 경비는 그 어느 곳보다 삼엄한 게 당연한 일이었다.

　하지만 그렇다고 해서 지금껏 단 한 번도 그 경비가 뚫리지 않았느냐 하면 그건 또 아니었다. 저 전설적인 도적 취몽월영이 들키지 않고 몇 번이나 황궁에 잠입했다가 빠져나온 적이 있었으니까.

　"아무래도 뭔가 의도한 바가 있는 암습인 게 분명합니다."

　강만리는 화제를 돌려 말했다.

　"우리 식구들 중에 의술과 독에 정통한 세 사람에게만 하독한 걸 보면 말이죠."

　"그러네요, 진짜."

　나찰염요는 뒤늦게 그 사실을 깨닫고는 깜짝 놀랐다.

　"다행히 제수씨가 일찍 발견해서 망정이지, 자칫 세 사람 모두 끔찍한 사고를 당할 뻔했습니다."

　그렇게 말하던 강만리는 문득 지붕 위에서 보았던, 당혜혜의 그 능라의만을 걸친 모습을 떠올리고는 살짝 얼굴을 붉혔다. 외려 벌거벗은 것보다 능라의를 걸친 모습이 더 육감적이고 매혹적이라는 사실도 알게 되었다.

　'나중에 예예에게 한번 입혀 봐야겠군.'

　그런 엉뚱한 생각이 강만리의 머릿속에 떠오를 때 예예와 정소흔이 차를 내왔다.

"무슨 생각을 그리 깊게·하세요?"

예예가 차를 따르며 물었다. 강만리의 귓불이 붉게 달아올랐다.

마침 당혜혜가 가늘고 짧은 향 한 대를 가지고 돌아왔다. 그게 무슨 물건이냐고 강만리가 물을 새도 없이 당혜혜는 부싯돌을 밝혀 향을 피웠다.

"소혼청백향(召魂請魄香)이에요."

당혜혜는 그 향을 만해거사의 코앞에 가져다 대며 이야기했다.

"혼을 부르고 백을 청하는 향이라는 거죠. 혼절한 자를 깨울 때나 정신을 맑게 할 때 사용하는 향이에요. 황혼몽연에도 탁월한 효과가 있죠."

"호오, 그런 향도 있었구려."

강만리가 고개를 끄덕일 때, 평온한 모습으로 잠들어 있던 만해거사가 갑자기 코를 씰룩거리며 인상을 찌푸렸다. 그러고는 "에취!" 하고 크게 기침하면서 눈을 떴다.

당혜혜는 다시 그 향을 구자옥의 코에 가져다 댔다. 만해거사는 영문을 모르겠다는 표정으로 주위를 둘러보다가 화들짝 놀라며 자리에서 일어났다.

"아니, 내가 왜 여기 있누?"

강만리는 짧게 한숨을 내쉬고는 말했다.

"구 당주가 깨어나면 그때 말씀드리겠습니다."

잠시 후 구자육도 만해거사와 같이 크게 기침을 하면서 눈을 떴다. 또 그 역시 주변을 두리번거리다가 깜짝 놀라면서 몸을 일으켰다.

"아니, 제가 왜 여기 누워 있습니까?"

말하는 것도 똑같아서 강만리는 물론 예예와 나찰염요도 실웃음을 흘려야 했다.

당혜혜는 소혼청백향을 탁자 중앙에 꽂아 두었다. 확실히 정신이 맑고 마음이 평온해지는 듯한 기분이 들었다.

강만리는 만해거사와 구자육에게 조금 전 상황을 설명했다.

일순 두 사람의 눈이 휘둥그레졌다. 구자육은 자신도 모르는 사이에 목숨을 잃을 뻔했다는 사실에 절로 몸을 부르르 떨었다.

"어쩐지, 뭔가 조금 이상하다 했더니……."

만해거사가 침음한 표정을 지으며 중얼거렸다.

"하도 더워서 잠이 오지 않아 뒤척거리고 있었는데 말이지. 갑자기 뭔가 달콤하기도 하고, 시원하기도 하고 부드럽기도 한 향이 나는가 싶더니 이내 졸리지 뭔가? 어라, 하는 사이에 사르르 눈이 감기고는 그대로 잠에 빠져들었지."

구자육도 고개를 끄덕이며 말했다.

"저도 비슷한 상황이었습니다. 하도 무더워서 잠을 청

할 수 없기에 차라리 약이나 조제할까 하고 몸을 일으키려 할 때, 갑자기 만해 어르신과 같은 기분이 들었습니다. 그게 마지막 기억이고요."

당혜혜가 말했다.

"독에 단련되어 있지 않은 사람들에게는 황천몽연의 향기가 그런 식으로 느껴지죠. 부드럽고 달콤하면서 시원한 느낌의 희미한 향기. 하지만 저처럼 단련된 이에게는 더없이 불쾌하고 짜증 나고 역겨운 향으로 다가오거든요. 그래서 쉽게 알아차릴 수가 있었어요."

"고마운 일이구려. 덕분에 조금이라도 더 살게 되었소."

만해거사가 고마움을 표시했다. 구자육도 당혜혜를 향해 인사를 했다. 그러고는 고개를 갸웃거리며 중얼거렸다.

"그나저나 도대체 누가 우리를 죽이려 했을까요? 강 장주도, 담 장주도 아닌 우리 세 사람을요?"

강만리가 대답했다.

"세 사람이 의술에 정통하고 독에 해박해서 그랬을 게지."

"네?"

"흉수는 수은의 해악을 단번에 알아보고 빠르게 그 해약을 만든 두 사람이 마땅치 않았던 걸세. 그리고 독에 해박한 제수씨의 존재도 꺼름칙했고. 그래서 앞으로의 일에 대비해서 미리 세 사람을 없애려 든 것 같네."

그러자 만해거사가 인상을 찡그리며 물었다.

"그렇다면 계속해서 독을 사용할 것 같나?"

"아마도 그럴 것 같습니다. 아무래도 흉수는 나름대로 독에 일가견이 있는 자인 모양입니다. 수은의 중독이나 칠보추혼산, 거기에 황천몽연까지 사용하는 걸 보면 말이죠."

거기까지 말한 강만리는 문득 고개를 갸웃거리며 당혜혜를 돌아보았다.

"그런데 황천몽연은 사천당문의 절독이라 하지 않으셨소? 그런 귀한 물건이 함부로 밖으로 나돌 리는 없을 텐데……."

당혜혜가 입술을 깨물었다. 뭔가 알고 있지만, 그렇다고 함부로 말할 수 없다는 표정이었다.

강만리는 가만히 그녀의 얼굴을 바라보았다.

이윽고 당혜혜가 길게 한숨을 쉬며 말했다.

"강 장주의 말씀이 맞아요. 황천몽연은 본 가에서도 엄중히 다루는 물품 중의 하나로, 결코 쉽게 외인이 사용할 수가 없죠."

일순 정소흔이 흠칫하며 입을 열었다.

"설마 당문 사람이 흉수인 건……."

"그건 아닐 거예요, 언니."

당혜혜가 고개를 저으며 말했다.

"실은 수년 전, 본 가 사람 중 한 명이 외부의 인사와 결탁한 적이 있었어요. 나중에 그 사실을 알게 되고 확인해 보니까 몇 가지 엄중하게 취급하고 있던 물품들이 사라지고 없었죠. 아마 그때 외부로 빼돌린 물품 중의 하나인 것 같아요, 황천몽연은."

당혜혜는 그 외부 인사와 결탁한 자가 당문 문주의 아들이자, 과거 그녀의 정혼자라는 사실까지는 굳이 발설하지 않았다. 또한 그가 결국 아주 추한 모습으로 죽은 사실 역시 이야기하지 않았다.

그건 어디까지나 사천당문이 없었던 일로 치거나 잊고 싶을 만큼 부끄러운 일이었다. 굳이 사람들이 알아서 좋을 게 하나도 없는 일이었다.

강만리는 그런 당혜혜의 속마음을 읽기라도 한 듯 그자가 누구인지 묻지 않았다. 단지 그는 당문 사람이 결탁한 외부 인사에 초점을 맞췄다.

"혹시 당문 사람과 결탁했다는 외부 인사의 배경에 대해서 알고 계시오?"

당혜혜는 잠시 생각하다가 입을 열었다.

"확실하지는 않지만 우리는 건곤가라고 추정하고 있어요."

"건곤가!"

사람들이 깜짝 놀라 소리쳤다.

건곤가라면 황궁 역모 사건의 배후로 지목되는 세력 중 하나였다. 또한 강시를 만들어 천하를 어지럽히고자 했던 장본인이기도 했다.

만약 그들이 사천당문의 절독과 암기를 빼돌렸다면, 지금 강만리 일행에게 독을 사용하는 자들 또한 건곤가와 깊게 연관이 있을 가능성이 매우 컸다.

강만리는 눈살을 찌푸리며 중얼거렸다.

"건곤가라……."

3. 무지(無知)에서 비롯된 오해(誤解)

벌써 십여 년 전의 일이었다.

건곤가의 암영단주(暗影團主) 한조(漢照)는 모정의 밀명(密命)을 받고 사천당문으로 향했다.

원래 한조는 남들과 다른 특별한 비밀이 있었다.

그녀는 남장(男裝)을 하고 있었으나 어디까지나 여인이었다. 또한 그녀는 여인의 생식기를 가지고 있었으나 사내의 그것도 함께 지니고 있었다.

음양인(陰陽人) 혹은 인요(人妖)라 불리는 이른바 제삼의 성별. 그게 바로 한조였다.

그 한조가 받은 밀명은 간단했지만 결코 단순한 일은

아니었다. 사천당문의 칠종암기와 십대절독 중 최소한 두 가지 이상의 물건을 빼내 오는 건, 누가 맡아도 쉽게 해낼 수 없는 임무였다.

하지만 한조는 개의치 않았다. 그녀는 자신이 할 수 없는 일은 세상에 존재하지 않는다고 생각하는 부류의 사람이었으니까.

그녀는 곧장 사천당문의 담을 뛰어넘지 않았다. 한동안 그 주변 마을에 머물며 이것저것 쓸데없는 것까지 세세하게 탐문하고 조사했다.

그리하여 사천당문의 문주인 당운학(唐雲鶴)의 아들인 당현종(唐玄宗)이 색(色)을 탐하는 인물임을 알게 된 그녀는, 이후 그를 유혹하여 사흘 밤낮 동안 그를 품에 안고 온갖 쾌락과 굴욕과 희열을 느끼게 만들다.

한조는 당현종에게 은밀하게 내재하고 있던 피학성(被虐性)을 마음껏 다루었다. 당현종이 그녀의 품에서 울고 불고 까무러치기를 반복하게 하면서 철저하게 그녀의 노예로 만들었다.

이후 그녀는 당현종을 통해 황천몽연을 비롯한 사천당문의 보물 몇 가지를 얻게 되었다.

마음 같아서는 십대절독과 칠종암기 모두를 훔치고 싶었지만, 상대는 어디까지나 사천당문이었다. 아무리 당문의 소문주라 할지라도 그것들은 모조리 들고 나올 수는 없었다.

"그럼 다음에 또 보자고, 내 어린 강아지."

한조는 항문에 막대기를 꽂은 채 혼절한 당현종을 내려다보며 한쪽 눈을 찡긋하면서 그렇게 중얼거린 다음, 미련없이 그곳을 떠나 건곤가로 돌아갔다.

물론 다음에 또 만날 생각은 전혀 없었다. 한조는 한 번 즐긴 사내, 혹은 계집은 두 번 다시 찾지 않았으니까.

그러나 세상일은 어디까지나 자기 마음먹은 대로 흘러가는 법이 없었고, 수년의 세월이 흐른 후 한조는 결국 '장예추를 죽여라'라는 건곤가의 또 다른 밀명을 받아 사천당문을 찾아가 당현종을 다시 만나게 되었으며, 마침내 그곳에서 장예추에 의해 목숨을 잃게 되었다.

세상에서 제일 희귀한 부류라 할 수 있는 음양인, 인요의 말로(末路)치고는 꽤 허망한 죽음이었다.

* * *

"실은 수년 전, 본 가 사람 중 한 명이 외부의 인사와 결탁한 적이 있었어요. 나중에 그 사실을 알게 되고 확인해 보니까 몇 가지 엄중하게 취급하고 있던 물품들이 사라지고 없었죠. 아마 그때 외부로 빼돌린 물품 중의 하나인 것 같아요, 황천몽연은."

비록 당혜혜는 그렇게 말했지만 그 이전에, 그러니까 처음 당현종이 한종의 노예가 되었을 때 이미 황천몽연을 비롯한 몇 가지 보물들이 사라졌다는 것이 보다 더 정확한 사실이었다.

물론 그 사실은 당혜혜도 이미 잘 알고 있었다.

하지만 그렇게 세세하게 말하다 보면, 당문 경비의 허술함과 보관 관리의 허점 등등에 대한 문제점들이 고스란히 드러날 수밖에 없었다.

당혜혜는 굳이 가문의 실태를 밝히고 싶지 않았다. 그래서 최대한 간략하고 사실 파악을 할 수 있을 만큼의 이야기만 한 것이다.

물론 강만리도 당문의 실태에 신경 쓰지 않았다. 오로지 강만리는 건곤가라는 단어에 집중하고 있을 뿐이었다.

'강시를 제조하려는 계획이나 당문의 독을 훔친 일을 보건대 놈들은 아주 오래전부터 원대한 계획을 세우고 있었구나. 그 정도의 야망이라면 한 번 꺾였다고 해서 결코 그만둘 리가 없겠지.'

아마도 건곤가는 다시 강시를 제조하고 있을지도 몰랐다. 또한 다른 세력을 규합하여 새로운 역모를 계획하고 있을 수도 있었다.

어쩌면 황태자의 수은 중독 사건 또한 그들이 벌인 음

모일 가능성이 컸다.

"확실히 내가 잘못 생각하고 있었네."

강만리는 저도 모르게 그렇게 중얼거리며 한숨을 흘렸다.

"뭐가 말인가?"

만해거사가 그 소리를 듣고 고개를 갸우뚱거리며 물었다. 강만리는 다시 한 번 한숨을 쉬며 입을 열었다.

"실은 이번 수은 중독 사건은 무지(無知)에서 비롯된 오해(誤解)가 아닐까 싶었습니다."

"무지에서 비롯된 오해?"

"네. 일전에 말씀하시기를 홍과 차, 즉 수은이 갖는 해악에 관해서 아는 사람은 극히 드물다고 하셨잖습니까?"

"그랬네."

"또한 수은이 볼로불사의 비약이라고들 생각한다고 하셨죠?"

"그랬지."

"그래서 저는 태자의 측근 중 누군가가 태자의 건강과 불로불사를 기원하는 의미로 음식에 수은을 넣은 게 아닐까 생각했었습니다."

"음?"

"아……."

"그럴 수도 있겠군요."

듣고 있던 이들이 모두 고개를 끄덕이며 중얼거렸다. 아닌 게 아니라 수은이 독약이 아니라 비약이라고 생각했다면 능히 그럴 법한 일이었다.

강만리는 계속해서 말했다.

"그리고 저는 그 배후의 인물로 태자비를 염두에 두었습니다. 확실히 태자비는 태자를 누구보다도 사랑하고 있으니까요."

강만리는 엉덩이를 긁적이며 말을 이었다.

"그런데 이곳에 온 첫날, 태자비를 접견했을 때부터 조금 의아하기는 했습니다. 태자비께서는 황태자께서 수은에 중독되었다는 걸 알고 있었고, 그 흉수를 반드시 색출하라 하셨으니까요. 만약 태자비께서 수은의 해악을 모르고 계셨다면, 그렇게 간단하게 수은의 중독에 대해서 이야기하지 않았을 테니까 말입니다."

만약 태자비가 진실로 수은의 해악에 대해 모르고 있었다면 강만리를 만난 자리에서 그녀는 왜 수은이 비약이 아니라 독약이 되는지부터 물었을 것이다. 하지만 태자비에게는 그런 호기심이나 의아함이 전혀 없었다.

강만리의 이야기를 가만히 듣고 있던 당혜혜의 표정이 한순간 변했다.

"혹시……."

그녀는 입을 열다가 차마 입에 올릴 수 없는 말이라고

느꼈는지 황급히 입을 다물었다.

　그러나 강만리는 그녀가 무슨 말을 하려고 했는지 다 알고 있다는 듯이 고개를 끄덕이며 말을 받았다.

　"그렇소. 그래서 지금 나는 태자비를 의심하는 중이오."

　"뭐라고요?"

　"아니, 지금 무슨 말을 한 겐가?"

　"그게 정말입니까?"

　사람들은 깜짝 놀라 격정적으로 질문을 퍼부었지만 정작 강만리는 아무 말 없이 찻잔을 들어 입에 가져다 댔다. 차를 마시는 강만리의 표정이 유난히 딱딱하게 굳어져 있었다.

9장.
동창(東廠)

"절요?"
장예추가 고개를 갸우뚱거리며 물었다.
"왜 저를요? 누가요?"

동창(東廠)

1. 은밀한 밤

경공술을 펼치며 밤하늘을 날다가 동궁 어느 전각 지붕
에 사뿐히 내려앉은 담우천의 짙은 눈썹이 꿈틀거렸다.
놈의 기척이 온데간데없이 사라진 것이다.

'이런…… 생각보다 고수다.'

담우천은 가볍게 입술을 깨물었다. 그가 추측했던 것보
다 상대의 무위가 최소한 한 단계 높았던 것이다.

'구천십지백사백마, 그 이상이로군.'

그 정도의 무위라면 확실히 그 뒤를 쫓기 어려웠다. 더
군다나 이렇게 감시 삼엄한 동궁 내에서 자신의 행적을
들키지 않음과 동시에 상대의 뒤를 추격하는 건 더더욱

힘든 일이었다.

'어쩔 수 없나?'

담우천은 잠시 생각하다가 더 이상의 추격을 포기했다. 자칫 동궁 곳곳을 지키고 감시하는 이들의 경계망에 노출될 위험이 있었으니까.

그는 잠시 주위를 둘러보고 방향을 잡은 후 다시 외곽 별채로 몸을 날리려 했다.

바로 그 순간이었다. 자신이 내려선 지붕 아래로 누군가가 서둘러 전각을 빠져나가는 모습이 언뜻 보였다.

담우천은 다시 지붕에 발을 딛고 그자를 눈여겨 지켜보았다. 어둠 속에서 그의 눈빛이 밝게 빛나는 가운데, 허겁지겁 걸음을 옮기는 자의 모습이 고스란히 드러났다.

'환관인데…….'

담우천은 고개를 갸웃거렸다.

이 늦은 시각에 환관이 무슨 일로 동궁을 활보하고 있는 것일까.

비록 뒷모습뿐이라 환관의 얼굴은 확인할 수 없었지만 그 걸음새나 몸매로 보건대 삼십 대에서 사십 대 사이의 환관으로 보였다.

담우천은 잠시 그 환관을 지켜보다가 별채로 돌아가겠다는 마음을 바꿨다. 왠지 모를 감이 왔던 까닭이었다. 담우천은 이내 그자의 뒤를 몰래 밟기 시작했다.

환관은 감히 누가 자신의 뒤를 쫓을 거라고는 전혀 상상하지도 못한 채 황급히 걸음을 옮겨 동궁을 빠져나갔다.

의외였다. 그가 향한 곳은 환관들이 기거하는 전각이 아니라 동창이었다.

동창 주변으로는 수십 명의 무사들이 삼엄한 경계를 펴고 있었지만, 그들 또한 밤하늘을 날아 전각의 지붕과 지붕을 타고 동창 지붕 위로 내려서는 담우천의 존재를 인식하지 못했다.

무엇보다 이 한밤중에, 감히 동창의 지붕 위로 내려서는 침입자가 있으리라고는 전혀 상상하지도 않았던 까닭이었다.

지붕 위에 몸을 납작 엎드린 담우천은 잠시 머리를 굴렸다.

'편액을 보아하니 이 전각이 바로 그 동창이라는 곳인가 보구나.'

황궁에 대해 문외한인 사람들도 최소한 동창은 알았다. 물론 몇 년 전 동창의 최고 책임자가 역모 사건에 휘말려 실각하고 목숨을 잃게 된 후 예전보다 그 위세는 상당히 꺾인 상황이기는 했지만, 그 두 글자가 주는 위압감은 아직도 세상 사람들 머릿속에 깊이 각인되어 있었다.

'동궁의 전각에서 나온 환관이 곧바로 동창에 들렀다

라……. 흠, 뭔가 심상치 않은 느낌이 드는군그래.'

담우천은 머리를 굴리며 전각 내부의 기척을 살피기 시작했다. 담우천이 귀를 쫑긋거리자 방금 전 전각으로 들어선 환관이 서둘러 걸어가는 발걸음 소리가 희미하게 잡혔다.

그는 더욱 내공을 끌어올렸다. 환관의 기척은 이 층 어느 한 방으로 향했다.

담우천은 지붕 위에서 방향을 잡고는 가볍게 뛰어내렸다. 바람 소리조차 일지 않았다. 순식간에 삼 층 난간에 내려선 그는 곧바로 난간에 발등을 걸치며 거꾸로 매달렸다.

그렇게 박쥐처럼 난간에 거꾸로 매달린 그의 시야로, 막 환관이 들어선 이 층의 구석진 방의 창이 정확하게 들어왔다.

불이 환하게 밝혀져 있었다. 한밤중이라고는 하지만 대낮보다 무더운 날씨, 창은 반쯤 열려 있었고 안에서 나누는 대화는 조용한 밤공기를 타고 밖으로 퍼져 나갔다.

거꾸로 매달린 담우천은 열린 창틈으로 방 안을 엿보았다.

누군가의 집무실인 듯한 방이었다. 그리고 그 집무실의 주인인 듯한 이가 등을 보인 채 책상에 앉아 있었다. 이 늦은 시간까지 일을 하고 있었는지 그의 손에는 붓이 들려 있었다.

문을 열고 들어선 환관은 책상 앞까지 걸어와 공손하게 허리를 숙였다.

순간, 자칫 눈이 마주칠까 봐 담우천은 옆으로 몸을 틀었다. 밖에서는 안을 들여다볼 수 있지만 안에서는 밖이 보이지 않는 절묘한 사각에서 담우천은 환관의 얼굴을 똑똑히 볼 수 있었다.

여인이라고 해도 믿을 정도로 아름다운 용모를 가진 환관이었다. 이십 대 초중반으로 보이는, 솜털 한 점 없이 깨끗하고 고운 피부를 가진 미남이었다.

"늦게까지 일하시나 봅니다, 소(蘇) 첩형관(貼刑官) 나리."

그 목소리조차 꾀꼬리처럼 아름다운 것이, 영락없는 여인의 음성이었다.

일반적으로 거세한 환관의 목소리가 높고 듣기 거북한 날카로움을 지녔다면 이 어여쁜 환관은 미성(美聲)이라고 해야 할 정도로 아름다운 목소리를 지니고 있었다.

책상에 앉아 있던, 소 첩형관이라 불린 이가 무뚝뚝한 어조로 말했다.

"보면 모르시겠소? 무슨 일이오?"

사무적인 어투였지만 환관은 개의치 않고 방긋 웃으며 말했다.

"마마의 분부이십니다."

그제야 소 첩형관은 하던 일을 멈추고 고개를 들어 환관을 바라보았다.

첩형관이란 동창의 속관(屬官)으로, 좌우(左右) 두 사람을 두어 서 동창 제독을 보좌했다.

즉, 동창의 이인자 격인 상당히 높은 직급이라 할 수 있었는데, 의외로 이 소 첩형관이라는 자는 그리 나이가 많아 보이지 않았다.

"무슨 말씀을 하셨소?"

살짝 흔들리는 목소리.

창밖에서 엿듣고 있던 담우천이 문득 고개를 갸웃거렸다.

'두렵거나 초조하고 불안해하는 게 아니라 묘한 기대와 흥분으로 인해 떨리는 것 같은데.'

다시 안에서 환관이 이야기했다.

"무슨 일이 있더라도 반드시 놈을 죽이라고 하셨습니다."

일순 긴장하고 있던 소 첩형관의 어깨가 살짝 처지는 걸 담우천은 확인할 수가 있었다.

'역시.'

소 첩형관은 한숨처럼 입을 열었다.

"오직 그 말씀뿐이셨소?"

"그렇습니다."

"따로 은밀히 전하는 말씀도?"

"없으셨습니다."

"알겠소. 반드시 그자를 죽이겠다고 전해 주시오."

소 첩형관은 다시 집무를 이어 나가려다가 재차 확인하려는 듯 고개를 들어 환관을 보며 물었다.

"그자의 이름이 장예추라 했소?"

일순 담우천의 눈동자가 흔들렸다.

'예추? 만리가 아니라 예추를 죽이려 한 건가?'

왜? 무엇 때문에?

담우천이 당황한 표정을 지을 때 환관은 웃으며 말했다.

"그렇습니다. 만약 그자를 죽이는 데 있어서 방해가 된다면, 누구든 상관없이 함께 죽이라 하셨습니다."

"으음. 알겠소. 그럼 나가 보시오."

소 첩형관의 축객령이 떨어졌지만 환관은 방을 나가지 않았다. 외려 한 걸음 다가서고는 소 첩형관에게 은근한 눈빛을 흘리면서 색기 뚝뚝 떨어지는 목소리로 속살거렸다.

"그동안 꽤 쌓이지 않으셨는지요?"

일순 소 첩형관의 몸이 움찔거렸다. 환관이 한 걸음 더 다가서 바로 책상 앞에서 걸음을 멈췄다.

고는 책상 앞으로 몸을 숙이며 소 첩형관의 얼굴 가까

이 제 얼굴을 들이댔다. 그러고는 음탕한 열기가 스며든 목소리로 말했다.

"잘 알고 계시겠지만 소인이 체내에 쌓인 독을 빼내는 데에는 일가견이 있답니다. 어찌하시겠습니까? 이대로 나가기에는 예까지 한달음에 달려온 소인의 마음이 너무나도 부끄러울 따름입니다."

"하아."

가만히 듣고 있던 소 첩형관이 탄식하듯 한숨을 내쉬었다. 그러고는 말없이 의자를 뒤로 물리고는 두 다리를 크게 벌렸다.

환관은 책상을 돌아서 소 첩형관의 앞으로 다가와 무릎을 꿇었다. 바지를 벗기는 소리가 바스락거렸다. 환관이 입을 크게 벌리고 무언가를 삼키는 소리가 뒤를 이었다.

'흐음.'

담우천은 가볍게 눈살을 찌푸렸다.

거세를 당한 환관이 비역질한다는 것 정도야 익히 들어서 알고 있었지만 이렇게 직접 눈앞에서 보게 되니 생각보다 훨씬 불쾌하고 역겨웠다.

사내가 사내의 물건을 빨다니.

담우천은 고개를 돌려 외면했다.

하지만 그 소리만큼은 어쩔 수가 없었다. 사탕을 빠는 듯, 핥는 듯, 오물거리는 듯한 그 소리들이 쉴 새 없이 담우천의 귀를 괴롭혔다.

이윽고 "으음." 하는 나지막한 신음이 소 첩형관의 입에서 흘러나왔다. 담우천은 그제야 다시 고개를 돌렸다.

환관이 소매로 입을 훔치며 자리에서 일어났다. 소 첩형관은 서둘러 바지의 끈을 옭아맸다.

환관이 눈웃음을 치며 입을 열었다.

"이대로 떠나기에는 서운하고 안타깝기는 하지만 바쁘실 터이니 오늘은 그만 물러가겠습니다."

소 첩형관은 아무 말도 하지 않았다. 환관을 보지도 않았다. 폭발적인 쾌락과 희열의 감정이 떠나간 그의 얼굴 위에는 그저 자책과 환멸, 부끄러움의 표정이 떠올라 있을 뿐이었다.

아무리 계집 같다고는 하지만 계집은 아니었다. 부드럽고 달콤한 목소리와 가늘고 붉은 입술, 그리고 요사스러울 정도로 매끈거리고 꿈틀대는 혀를 가지고 있었지만 그는 역시 거세한 환관에 불과했다.

순간의 욕정에 넘어가 결국 아랫도리를 열어 주고 금단의 열매처럼 달콤하고 황홀한 격정의 순간을 보냈지만, 그렇게 한 번 욕정을 쏟아 낸 지금은 더없이 불쾌하고 짜증이 치밀어 올랐다.

'내가 이 정도밖에 되지 않는가?'

소 첩형관이 그렇게 자조하고 있을 때, 환관은 마치 그

의 속내를 다 들여다보고 있다는 듯 희미한 미소를 머금
으며 입을 열었다.

"참, 마마께서 안부 전하라고 하셨습니다."

일순 소 첩형관은 저도 모르게 고개를 들어 환관을 쳐
다보았다. 환관은 계집처럼 매혹적인 눈웃음을 치며 말
을 이었다.

"두 달 전의 그 즐거운 기억을 잊지 못한다 하셨으며,
또한 다시 한번 그날의 즐거움을 만끽하고 싶다 이르셨
습니다."

"그게 사실이오? 마마께서 그리 말씀하셨소?"

"소인이 어찌 마마의 말씀을 함부로 지어 올릴 수 있겠
습니까? 다 사실입니다. 확실히 마마께서는 그리 말씀하
셨습니다."

"오오."

"그러니 몸 관리 잘해 두셔야 할 겁니다. 마마께서는
의외로 사내의 양(量)에 민감하시니 말입니다."

"알겠소. 고맙소."

소 첩형관은 조금 전 환관을 벌레처럼 대하던 때와는
전혀 다르게, 진심으로 고마워하며 말했다.

"내 지(池) 환관의 도움, 잊지 않으리다. 반드시 비싸게
갚겠소."

"별말씀을요."

지 환관은 눈웃음을 치며 말했다.

"그저 가끔씩, 이렇게 불러 주시면 그것으로 만족할 뿐입니다."

소 첩형관의 눈빛이 파르르 떨렸다. 지 환관은 그의 대답을 듣기도 전에 고개를 숙이고 집무실을 나섰다.

"하아."

소 첩형관이 길게 한숨을 쉬며 뒤로 고개를 젖혔다. 담우천이 황급히 몸을 일으키지 않았더라면 하마터면 서로 시선이 마주칠 뻔했다.

지붕 위로 올라선 담우천은 잠시 생각했다. 계속해서 지 환관의 뒤를 쫓아야 하는지, 아니면 이 소 첩형관을 감시해야 하는지 고민하던 담우천은 동창 건물 밖으로 걸어나온 지 환관을 보고는 이내 결정을 내렸다.

'저자의 뒤를 쫓는 게 낫겠지.'

담우천은 곧장 밤하늘 높이 날아올라, 지 환관의 뒤를 쫓기 시작했다.

2. 빌어먹을 복마전(伏魔殿)

새벽이 될 때까지 담우천이 돌아오지 않자 강만리를 비롯한 사람들의 얼굴에 긴장한 기색이 스며들었다.

물론 그들 모두 담우천을 믿었다. 천하의 그 누구도 감히 그를 어찌하지 못할 거라고 확신하고 신뢰했다.

하지만 어쨌든 이곳은 황궁이었다.

어떤 괴물들이 있는지, 어느 곳에 숨어 있다가 갑자기 툭 튀어나올지 아무도 몰랐다. 과거 소림의 백팔나한진이 황궁의 일개 환관 하나를 상대하지 못하고 괴멸된 사건은 너무나도 유명한 비화(祕話)였으니까.

그런 공포스러운 무위를 지닌 환관이 또 있을지, 있다면 얼마나 있을지 모르는 곳이 바로 이곳 황궁이었다.

무덥고 습한 밤이 지나고 새벽이 될 때까지, 강만리를 비롯한 사람들은 잠을 이루지 못한 채 객청에 모여 앉아 담우천을 기다렸다.

그가 돌아온 건 인시(寅時)가 지나 묘시(卯時)로 접어들 무렵이었다.

"왜 이리 늦으셨어요?"

나찰염요가 짜증 아닌 반가움의 목소리로 묻자 담우천은 의자에 털썩 주저앉으며 입을 열었다.

"차를 마시고 싶군."

예예가 얼른 찻잔을 가져왔다. 이미 식은 지 오래된 차였지만 담우천은 꿀물처럼 달게 들이켰다. 그렇게 한숨을 돌린 담우천은 문득 여인들을 돌아보며 입을 열었다.

"아녀자들이 듣기에는 썩 좋지 않은 이야기도 있소."

당혜혜가 웃으며 말했다.

"어찌 우리가 한낱 아녀자이겠습니까?"

그렇기는 했다. 그녀들 모두 무림에서 관록을 쌓은 여장부들이었으니까.

담우천은 잠시 생각하다가 고개를 끄덕였다.

"좋소."

그러고는 이 한밤중에 그가 지켜보았던 기괴하고 황당한 일들에 대해서 이야기를 시작했다.

사람들은, 특히 예예를 비롯한 여인들은 환관과 첩형관의 기괴한 애정 행각에 놀라 입을 다물지 못했다. 평생 백도 정파에서 살아온 정소흔은 심지어 헛구역질을 하며 자리를 뜨기도 했다.

아무리 무림에서 온갖 경험을 한 여장부들이라 하더라도 저 사내들끼리의 애정 행각은 확실히 큰 충격으로 다가왔던 것이다.

담우천은 덤덤하게 말을 이어 나갔다.

"지 환관이라는 자는 동창을 나선 후 곧장 숙소로 돌아갔소. 게서 반 시진 가까이 숨어 기다렸지만 결국 그자의 코 고는 소리만 듣다가 돌아왔소."

담우천의 보고는 그렇게 끝났다.

"으음."

사람들은 저마다 신음과 탄식을 흘렸다.

"환관이 궁녀나 혹은 자기네들끼리 사랑을 나눈다는 소문은 익히 들어 알고 있었지만, 동창의 고위 관리들까지 그들과 관계를 맺을 줄은……."

만해거사가 중얼거렸다. 예예와 나찰염요는 인상을 찌푸렸다.

정유가 서둘러 화제를 돌렸다.

"그럼 이번 독살 건은 모두 예추를 노린 일일까요?"

만해거사가 가볍게 눈살을 찌푸리며 중얼거렸다.

"황궁에서 뭔 일이 있었나? 허어, 말썽꾸러기 군악도 아니고 예추가……."

한편 정유의 질문에 강만리는 잠시 생각하다가 좁쌀처럼 자그마한 두 눈을 끔뻑이며 말했다.

"모르겠네."

"형님이 모르시면 누가 압니까?"

정유는 그렇게 말하며 힐끗 당혜혜를 바라보았다. 장예추의 부인인 그녀는 혹시 알 수 있을지도 몰랐다.

하지만 그녀는 무심한 표정으로 고개를 저었다.

"저도 모르겠어요, 무슨 일인지."

만해거사가 조심스레 입을 열었다.

"혹시 과거에 예추가 황궁에서 뭔가 일을 저지른 건……."

"들은 적이 없어요."

"그렇구려."

단호한 당혜혜의 대답에 만해거사는 머쓱한 표정을 지으며 입을 다물고는 강만리를 돌아보았다.

  그때 강만리는 사람들의 대화와는 상관없이 혼자만의 깊은 상념에 빠져 있었다. 만해거사나 정유를 비롯한 사람들은 그런 강만리의 습성을 익히 잘 알고 있기에 그가 입을 열 때까지 잠자코 기다려 주었다.

  이윽고 강만리가 눈빛을 빛내며 담우천을 향해 물었다.

  "혹시 지 환관이라는 자가 어느 궁에서 나왔는지 기억하십니까?"

  "물론일세."

  "그럼 내일, 아! 오늘이네요, 벌써. 오늘 황태자 전하를 뵈러 가는 길에 함께 가시죠. 그리고 동궁 주위를 둘러보면서 그 궁을 확인하는 겁니다."

  "그렇게 하지."

  강만리는 길게 숨을 내쉰 후 가볍게 손뼉을 치며 말했다.

  "자, 그럼 다들 한 시진이라도 눈을 붙입시다. 아무래도 내일…… 아니, 오늘은 꽤 긴 하루가 될 것 같으니 말입니다."

  "아니, 형님."

  정유가 황당하다는 표정을 지으며 말했다.

  "이렇게 끝내면 어떡합니까? 도대체 어찌 된 일인지, 무슨 생각을 그리했는지 말씀을 해 주셔야지요."

강만리가 말했다.

"아직 생각 중이야. 내 스스로 정리하지 못했는데 어찌 사람들에게 말해 줄 수 있겠나?"

"하지만 형님."

"조금만 기다리게. 내일이면 이 빌어먹을 복마전(伏魔殿)에서 무슨 일들이 벌어지고 있는지 대충 알 수 있을 테니까. 자, 그럼 얼른 들어가 잠이나 자자고."

강만리의 말을 끝으로 객청의 모임은 파장이 되었다. 사람들은 저마다 심각한 표정을 지은 채 자신의 침소로 걸음을 옮겼다.

강만리가 옷을 벗고 침상에 드러눕자, 예예가 곁에 누우며 소곤거렸다.

"혹시 당신도 그런 거에 관심이 있으세요?"

"무슨 소리."

강만리가 반사적으로 말했다.

"상상만 해도 소름이 끼치는구먼."

"그런데 왜죠?"

"뭐가?"

강만리의 의아한 질문에 예예의 목소리가 더욱 은밀하고 달콤하며 달콤하게 변했다.

"그런데 왜 저와 잠자리를 하지 않는 거죠?"

강만리가 화들짝 놀라며 반응했다.

"무슨 소리야? 채석장에서 만난 날 기억나지 않나? 그날 밤새 사랑을 나누지 않았나?"

"그게 벌써 언제적 일인데요?"

예예는 뚱뚱한, 하지만 근육질로 뒤덮여 단단하고 탱탱한 강만리의 배를 쓰다듬으며 소곤거렸다.

"그러니까 황궁에서 사랑을 나누는 건, 누구나 할 수 있는 일이 아니잖아요? 일반 백성들은 꿈도 꾸지 못할 일이라고요. 안 그래요?"

강만리의 온몸에 소름이 돋았다.

3. 저 궁일세

무림인에게 있어서, 특히 내공이 절정에 이른 고수들에게 있어서 한 시진의 잠은 꿀과도 같았다. 어제의 피곤함과 고단함을 씻은 듯이 지울 수 있는 시간이었다.

하지만 강만리는 여전히 잠이 부족한 듯 늘어지게 하품을 하며 객청으로 들어섰다. 객청에는 이미 담우천이 나와 그를 기다리고 있었는데, 강만리를 보고는 이상하다는 듯이 고개를 갸웃거리며 물었다.

"제대로 못 잔 모양이로군."

강만리가 한숨을 쉬며 대답했다.

"귀찮은 고양이 때문에요."

"음? 고양이가 밤새 울었나? 전혀 듣지 못했는데."

"그런 게 있습니다. 그럼 가시죠."

강만리가 말할 때였다.

"다녀왔습니다."

새벽 궁문이 열리자마자 입궁한 듯 화군악과 장예추가 객청 문을 열며 들어섰다. 강만리는 다시 자리에 앉으며 입을 열었다.

"일찍 왔구나."

"얼른 말씀드릴 게 있어서요."

"아, 안 그래도 우리도 이야기해 줄 게 있다."

화군악의 눈이 휘둥그레졌다.

"뭔데요?"

"우선 갔다 온 이야기부터 듣자. 흑개방 사람은 만나 본 게냐?"

"아, 그게 말입니다. 별 소득이 없었어요."

화군악은 흑개방에서 있었던 일들과 또 채석장의 상황에 대해서 이야기했다.

강만리는 헌원중광과 설벽린이 뭔가 꾸미고 있는 것 같다는 말에 문득 알겠다는 듯이 고개를 끄덕이며 중얼거렸다.

"그렇지. 헌원 노대라면 가능할지도."

"네? 그건 또 무슨 소리입니까?"

"아니다. 어쨌든 알았다. 고생들 했고."

그렇게 대충 넘긴 강만리는 곧장 장예추를 바라보며 물었다.

"너, 황궁에서 무슨 나쁜 짓이라도 했냐?"

장예추의 눈이 휘둥그레졌다.

"네? 제가요? 황궁은 처음인데요?"

"거짓말하지 말고."

"거짓말을 왜 하나요, 제가? 정말 황궁은 처음입니다."

"그런데 왜 널 죽이려 하는 거지?"

"절요?"

장예추가 고개를 갸우뚱거리며 물었다.

"왜 저를요? 누가요?"

강만리는 가만히 장예추의 얼굴을 바라보았다. 전혀 거짓말을 하는 얼굴이 아니었다. 아니, 강만리가 도대체 무슨 말을 하는지 알아듣지도 못하겠다는 얼굴이었다.

"쳇, 정말 힘들어지는군."

강만리는 가볍게 한숨을 내쉬고는 지난밤 담우천이 보고 들었던 것들에 대해 간략하게 이야기했다. 장예추와 화군악의 눈이 화등잔만 해졌다.

"이상하군요. 진짜 황궁 사람들과는 아무런 인연도 악연도 없는데 말입니다. 애당초 황궁은 이번이 처음이니까요."

장예추의 말에 강만리는 고개를 휘휘 내저으며 말했다.

"뭐, 됐다. 어차피 흉수를 찾으면 알게 될 일이니까. 그럼 우리는 나가 볼 테니 너희들은 쉬고 있어라."

화군악이 따라 일어서며 물었다.

"어디 가시는데요?"

"태자 전하를 뵈러 간다."

"그럼 같이 가요."

그러자 장예추도 따라 일어나며 말했다.

"저도 함께 가겠습니다. 제 목숨이 걸린 일이니 어찌된 영문인지 알고 싶거든요."

강만리는 그들을 만류하려다가 포기하고는 엉덩이를 긁적이며 말했다.

"그래, 차라리 흉수의 이목이 우리에게 집중되게 하는게 낫겠다. 그러면 최소한 이곳 식구들은 안전할 테니까. 가자."

별채에서 나와 태자궁을 향해 천천히 걸으면서 강만리는 담우천에게 말했다.

"그 궁을 찾게 되면 말씀해 주세요."

담우천은 산책 나온 것처럼 느긋하게 발걸음을 옮기면서 고개를 끄덕였다.

"그렇게 하지."

한편 화군악은 장예추와 나란히 걸으며 소곤거렸다.

"잘 생각해 봐. 진짜 아무 일도 없었어? 황궁 사람들과?"

"그렇다니까."

장예추는 살짝 짜증스러운 목소리로 대꾸했다.

"아무리 생각해도 황궁과 겹치는 일은 없었어."

"그러지 말고 잘 생각해 봐. 지금껏 죽였던 자들 중에서 황궁과 연관이 있는 이가 있는지 말이야. 가령 황비의 십팔촌이라든가, 관가(官家)에 몸을 담고 있던 자들이나, 그들과 연관이 있던 자들이든가."

화군악의 말에 일순 장예추가 움찔거렸다.

'혹시?' 하는 생각이 언뜻 들었다. 과거 경천회의 연판장을 통해 암살했던, 적지 않은 관부 인사들과 관련이 있는 것은 아닐까 하는 생각이 그의 뇌리를 스치고 지나간 것이다.

그렇게 대화를 나누는 동안 어느덧 그들은 태자궁에 다다랐다.

"아직 찾지 못하셨습니까?"

강만리의 질문에 담우천은 태자궁 너머로 시선을 향하며 대답했다.

"좀 더 안쪽 같네."

'더 안쪽이라면……'

강만리의 얼굴이 굳어졌다.

동궁 안쪽으로 황태자비의 궁과 다른 두 명의 태자, 세 명의 공주, 그리고 비빈들의 거처가 있었다.

"아, 저 궁일세."

강만리 일행이 막 태자궁으로 들어서기 직전, 담우천이 태자궁 뒤로 늘어선 전각들 중 한 곳을 가리키며 말했다.

반사적으로 고개를 돌린 강만리는 담우천이 가리킨 궁을 바라보며 저도 모르게 한숨을 내쉬었다.

'빌어먹을. 내 그럴 것 같았다.'

* * *

"그래, 밤새 별일 없었느냐?"

주완룡은 한결 더 건강해진 목소리로 물었다. 강만리는 당연하다는 듯이 대답했다.

"네, 별일 없었습니다."

고개를 숙이고 있던 화군악과 장예추가 서로를 돌아보았다. 강만리는 계속해서 말을 이어 나갔다.

"오늘은 여러 비빈을 만나 뵙고 인사를 드리고자 합니다."

"비빈이라……."

일순 주완룡의 표정이 진중해졌다.

"조심하고 또 조심하도록 하라. 내 어머님과 같으신 분들이니까."

"그리하겠습니다."

"그러면 홍수에 대한 조사는 어디까지 되었느냐?"

"이삼 일 안으로 찾아낼 것 같습니다."

"그래? 그럼 대충 윤곽은 나왔다, 이건가?"

"그게……."

강만리는 망설이다가 사실대로 말했다.

"아직 제대로 아는 건 아무것도 없습니다. 죄송합니다."

"그래?"

주완룡은 아쉬운 듯 뒤로 물러나 앉았다. 강만리는 얼른 화제를 바꿨다.

"참, 양(梁) 제독태감은 어찌 되었습니까?"

뜻밖의 이름에 주완룡의 눈살이 절로 찌푸려졌다.

역모 사건 당시의 제독태감이었던 양옹(梁壅)은 수하들의 반역을 감지하지 못한 죄로 모든 관직을 삭탈, 곤장 오십 대의 형벌과 함께 옥에 갇혔다.

주완룡의 대답을 들은 강만리는 고개를 갸웃거렸다.

"지은 죄에 비해서 매우 가벼운 벌을 받았군요."

주완룡이 한숨을 쉬며 말했다.

"그는 황제 폐하의 오래된 친구이자, 또 황후 마마의 벗이었다네. 죽일 정도의 죄는 아니라면서 황후 마마께서 끝까지 간청하는 바람에 결국 황제 폐하께서도 마음을 돌리셨지."

"흠. 그랬군요."

강만리는 고개를 끄덕이다가 재차 물었다.

"그럼 현 제독태감은 누구입니까?"

"손유섭(孫裕攝)이라는 환관일세. 양옹의 뒤를 이어 병필태감이 되어 현 동창을 지휘하고 있지."

"혹시 그를 추천한 인물 중에 황후 마마도 계십니까?"

"그럴 걸세. 손 제독태감이 원래 황후 마마를 극진하게 모시던 어전태감 중 한 명이었으니까."

"알겠습니다. 그럼 비빈을 만나 뵙고 돌아오는 길에 동창에 들러 제독태감을 만나겠습니다."

"그리하게."

주완룡은 웃으며 말했다.

"이번 제독태감은 유순하고 성실하며 온건한 성품이니 너무 걱정하지 말게."

"명심하겠습니다."

강만리는 동료들과 함께 주완룡에게 깊이 허리를 숙인 후 태자궁을 빠져나왔다. 그러고는 환관의 안내를 받아 비빈의 거처로 향했다.

강만리는 길을 안내하는 환관에게 이것저것 물었으며 환관은 수다스럽게 대답했다.

원래 비빈(妃嬪)이란 곧 황후를 제외한 황제의 첩(妾)을 가리켰다. 따로 황제의 적실인 황후(皇后)와 첩실을 함께 지칭하여 후비(后妃)라고도 불렀다.

　이곳 동궁에는 일곱 명의 비빈이 거처하고 있었는데, 황후는 삼황자 주건이 유배된 이후 동궁을 떠나 따로 서궁에 머물고 있었다. 주건의 거처였던 동건궁(東建宮)을 볼 때마다 가슴이 아프고 목이 메어 온다는 이유에서였다.

　그도 그럴 것이 삼황자 주건은 황후의 늦둥이였고, 그 누구보다도 총명했지만 태어나면서부터 몸이 약해서 늘 병치레를 했다.

　주건은 언제나 황후에게 걱정과 근심의 대상이었다. 황후는 그런 늦둥이 주건을 누구보다도 끔찍하게 아꼈고 사랑했다. 그래서 주건이 유배를 떠난 날 그녀는 피를 토하며 혼절했다고, 강만리를 안내하던 환관이 귀띔을 주었다.

　"그럼 황후를 뵈려면 서궁으로 가야겠구려?"

　강만리의 물음에 환관이 펄쩍 뛰었다.

　"언감생심(焉敢生心), 꿈도 꾸지 마십시오. 서궁에 칩거하신 후로 황후께서는 폐하를 제외하고는 그 누구도 만나지 않으시니까요."

　"흠, 그럼 폐하께 청을 드려야겠군."

강만리가 태연자약하게 말하자 환관의 입이 쩍 벌어졌다. 환관은 이 겁 없고 거칠 것 없는 뚱뚱한 사내를 괴물 보듯 쳐다보다가 고개를 설레설레 내저으며 말했다.

"어쨌든 태자 전하께 폐가 되는 일은 절대 하시면 안 됩니다."

"알겠소이다."

강만리가 그렇게 말하며 한 전각 앞에서 걸음을 멈췄다. 바로 담우천이 가리켰던 그 궁이었다.

환관이 고개를 갸우뚱거리며 물었다.

"태자비는 이미 뵙지 않으셨습니까?"

강만리는 웃으며 말했다.

"어느 정도 일이 진척이 되었으니 마땅히 보고를 드려야 하지 않겠소이까?"

환관은 그도 그럴 법하다고 여겼는지 서둘러 전각으로 달려갔다. 하지만 이내 곧 밖으로 나오며 고개를 저었다.

"태자비께서는 굳이 만날 필요가 없으시다고 합니다."

강만리는 여전히 미소를 지으며 말했다.

"강만리와 함께 장예추 찾아왔다고 전하시면 될 것이오."

"네?"

환관은 무슨 뜻인지 모르겠다는 듯 강만리의 얼굴을 쳐다보다가 한숨을 내쉬며 다시 발길을 돌렸다.

"가 봤자 또 퇴짜 맞을 게 뻔한 일인데."

환관은 마치 강만리더러 들으라는 듯이 크게 중얼거리며 궁으로 들어섰다. 얼마 후 환관은 믿을 수 없다는 표정을 지은 채 허겁지겁 달려 나왔다.

"태자비께서 알현을 허락하셨습니다."

강만리가 웃으며 말했다.

"그것 보시오. 내 말이 맞지 않소이까?"

강만리는 영문을 몰라 하는 환관을 앞세워 궁으로 들어섰다. 그 뒤를 담우천과 화군악, 장예추가 따랐다.

10장.
증오(憎惡)

놀랍게도 여인은
그의 앞에서 거침없이 늘씬하고 탱탱한 두 다리를 활짝 벌려서,
그 깊고 은밀한 비림(秘林)을 열어 보이며 당당하게 말했다.
"마음껏 보거라. 본다고 해서 닳는 것도 아닌데."

1. 자기소개

자금성은 거대한 직사각형 구조로, 황제가 공식 업무를 보는 봉천전(奉天殿:태화전)과 휴식을 취하거나 간단한 업무를 보는 중화전(中和殿) 등을 중앙에 두고, 그 동쪽을 동궁, 서쪽을 서궁이라 하였다.

동궁과 서궁은 쉽게 오갈 수 없는 만큼 전혀 다른 세상이었다. 서궁에서 지내는 환관이나 여관들은 대부분 평생을 그곳에서 지내야 했으며, 동궁 또한 마찬가지였다.

그래서 지난날, 동궁에 머무르던 황후가 갑자기 서궁으로 거처를 옮긴다고 했을 때 서궁 사람들은 천지이변(天地異變)이라도 난 듯 당황해하고 들썩거렸다.

그 황후는 지금 서육궁(西六宮)이라 하여 비빈들이 머무는 전각 중 장춘궁(長春宮)에 머물고 있었다. 기실 황후는 동궁과 서궁 여러 전각을 자신의 거처로 사용할 수 있었는데, 오직 그녀만의 특권이라 할 수 있었다.

이날 장춘궁에는 아주 오래간만에 동궁의 인물이 들어서고 있었다. 홀쭉한 체구의 늙은 환관은 아주 공손한 자세로 궁녀와 환관들의 안내를 받아 입궁하였고, 이후 황후와 단둘이서 대화를 나눴다.

"참으로 바쁘신 모양이구려. 초대한 지 사흘이 지나서야 그 귀한 얼굴을 볼 수 있다니 말이오."

가림막 저편에서 흘러나오는 황후의 목소리가 매섭기만 했다.

"말씀 낮추십시오, 마마. 감히 받아들일 수가 없습니다."

늙은 환관은 이마를 바닥에 찧은 채 말했다.

"죄송합니다, 마마. 사람들의 이목이 있다 보니 쉽게 올 수가 없었습니다. 오늘만 해도 폐하께 미리 말씀을 드리고 윤허를 받아서 겨우……."

"됐다. 동창의 주인이 되더니 말만 번지르르해지셨네. 예전의 그 홍안자(紅顏子)는 어디로 갔단 말이냐?"

"허허. 사십 년 전의 이야기를 새삼 꺼내시다니요."

"홍! 내게는 그때나 지금이나 홍안자일 뿐이네."

"성은이 망극하옵니다."

"그건 그렇고, 강만리 그자가 다시 돌아왔네. 내 막내를 죽인 자가 말이지."

"마마, 삼황자께서는 그자로 인해 목숨을 잃은 게 아닙니다. 그저 유배된 곳의 상황과 당신의 처지를 견디지…….."

"그렇게 만든 자가 바로 강만리란 말일세!"

"마마."

"그자를 죽이시게. 어떤 일이 있더라도 반드시 죽여서 건의 원한을 풀어 주시게."

"하오나, 마마."

"사실 그대가 오지 않아 내 독단적으로 독을 풀어 죽이려 했지. 하지만 그자 주변에 아주 용한 의생들이 있어서 결국 허사가 되고 말았다네. 흥! 칠보추혼산이 무림의 절독이라면서, 반드시 놈들을 죽이겠다며 떵떵거릴 때 알아봤어야 하는 건데."

"마마, 어찌하려 그러십니까?"

늙은 환관이 놀라 다급한 어조로 말했다.

"지금 그자는 황태자 전하의 독살 사건을 조사하고 있습니다. 한데 그를 독살하려 하시다니요."

"그래서 독을 사용한 것일세. 강만리를 죽여 태자에게 독을 푼 흉수에게 덤터기를 씌우려 했던 걸세."

"하지만 황태자께서는…….."

"거의 다 나았다고 들었네. 또한 그 용한 의생들이 살아 있으니 그들이 남은 치료를 하면 될 것이고, 태자에게 홍과 차의 독을 푼 흉수는 동창에서 조사하면 될 게 아닌가? 설마 동창에 그런 능력이 없다고는 하지 않겠지?"

"물론 그만한 능력이야 있습니다만…… 하지만 마마."

"됐네."

황후는 서늘한 목소리로 잘라 말했다.

"이건 부탁이 아니라 명령이네. 또한 과거 내 처소로 몰래 숨어 들어와서 은밀한 곳을 훔쳐보던 자에게 내리는 벌일세."

황후의 말에 순간, 늙은 환관은 벼락이라도 맞은 듯 부르르 떨었다. 잊고 싶었던, 수십 년 전의 기억이 새삼스레 떠올랐던 것이다.

당시 그는 순간의 욕망과 호기심과 욕정을 이기지 못하고 감히 황후로 간택된 여인의 나신(裸身)을 몰래 훔쳐보다가 그녀에게 들키고 말았다.

잔뜩 얼굴이 벌겋게 달아오른 채 그는 벌벌 떨며 엎드려 울었다. 당연히 사형이 내려질 줄 알았다. 자신뿐만 아니라 가족과 친지 모두 목숨을 잃을 거라고 생각했다.

억울할 리가 없었다. 확실히 그만한 죄를 지었으니까.

하지만 놀랍게도 여인은 그의 앞에서 거침없이 늘씬하

고 탱탱한 두 다리를 활짝 벌려서, 그 깊고 은밀한 비림(秘林)을 열어 보이며 당당하게 말했다.

"마음껏 보거라. 본다고 해서 닳는 것도 아닌데."

그는 감히 고개를 들지 못했다. 하지만 결국 본능과 욕정은 이성을 지배하는 법, 그는 우물쭈물 고개를 들며 눈을 위로 치켜뜬 채 그곳을 쳐다보았다.

여인은 그런 그의 모습을 보며 깔깔 웃으며 말했다.

"이건 빚이다. 훗날 그대가 높은 자리에 올랐을 때 반드시 갚아야 하는 빚. 마음속 깊은 곳에 간직해 두었다가 내 명령이 떨어지면 반드시 그 임무를 완수해야 하는 빚이다. 설령 내가 황상(皇上)의 죽음을 원한다 할지라도 말이다. 알겠느냐?"

생전 처음 보는 처녀의 옥문(玉門)에 정신을 빼앗긴 그는 저도 모르게 고개를 끄덕이며 대답했다.

"소인이 살아 숨 쉬는 한 영원히 마마의 종이 될 것입니다."

"그래야지."

여인은 호탕하게 웃으며 말했다.

"아직 황상에게도 보여 주지 않은 곳을 보았으니, 당연히 평생 내 종이 되는 건 당연한 일일세. 그럼 앞으로 잘 지내보자꾸나, 손 환관."

그 손 환관은 황후의 전폭적인 지지를 받으며 승승장

구, 중요한 자리는 모두 꿰차면서 성장했다.

그리고 마침내 사례태감과 더불어 환관의 정점이라 할
수 있는 병필태감 자리에 오르면서 동창의 제독태감이
되었다.

제독태감 손유섭은 머리를 조아린 채 천천히 입을 열었
다.

"마마의 영원한 종이 그 명을 받듭니다. 반드시 놈을
죽이겠습니다."

"그래야지."

황후는 당연하다는 듯이 말했다.

일순 손유섭은 가림막 저편에 가려진 황후의 미소가 보
이는 듯했다.

담대하면서도 오만했던, 천하에 가릴 것이 없고 거칠
것이 없었던, 일개 환관 앞에서 자신의 벌거벗은 가랑이
를 활짝 벌린 채 웃던 그 젊은 황후의 미소가 새삼스레
손유섭의 뇌리에 떠오르고 있었다.

* * *

비슷한 시각.

동궁 태자비의 궁에서도 또 다른 알현이 이뤄지고 있
었다. 넓은 대청 좌우로 이십여 명의 여인들이 나란히 서

있는 가운데 네 명의 사내가 부복해 있었다.

그들의 정면으로는 주렴과 비단 가림막이 대청을 가로질러 이중으로 쳐 있어서 시야를 가로막았다.

그 이중의 가림막 저편에는 귀비탑(貴妃榻)에 비스듬히 기대어 누워 있는 한 여인의 전영(剪影)이 희미하게 보였다. 그 양옆에서는 커다란 부채를 든 여인들이 서로 번갈아 가며 천천히 부채질하고 있었다.

"그래, 이번에는 무슨 일이오?"

귀비탑의 여인이 조용하고 차분한 목소리로 물었다. 강만리가 익히 들어 본 음성이었다.

황태자의 정실, 태자비의 목소리. 서른은 넘은 것 같고 마흔은 되지 않은 듯한, 황태자와는 제법 나이 차가 나는 목소리였다.

'재미있군. 일전에는 전혀 생각하지도 않은 것들인데.'

강만리는 내심 그렇게 중얼거리며 입을 열었다.

"그간 조사에 대해 보고하고자 합니다."

"태자 전하께만 보고하면 되었지, 굳이 내게 보고할 필요는 없소. 됐소. 들을 것도 들을 이유도 없으니 그만 가 보시오."

의외로 싸늘하고 냉정한 축객령이었다.

강만리는 머뭇거리다가 몸을 일으켰다. 담우천과 장예추, 화군악도 함께 일어섰다. 그때였다. 태자비의 목소리가 다시 들려왔다.

"기껏 왔으니 다들 자기소개를 해 보시오. 이렇게 만난 것도 인연이니, 그 얼굴과 이름을 기억하고 싶구려."

일순 강만리의 눈빛이 반짝였다. 그는 허리를 숙인 채 태연한 어조로 말했다.

"소인은 사천 성도부의 강만리라 합니다."

화군악이 뒤이어 말했다.

"사천 성도부의 화군악이라 합니다."

장예추가 그 뒤를 이어 말했다.

"사천 성도부의 담우천이라고 합니다."

담우천이 마지막으로 말했다.

"사천 성도부의 장예추라고 합니다."

2. 태자비

환관이 태자비 궁으로 들어가는 뒷모습을 바라보던 강만리가 문득 장예추와 담우천을 돌아보며 입을 열었다.

"분명 태자비께서는 장예추가 누구인지 확인하고 싶어 할 겁니다. 그때 두 사람이 이름을 바꿔 말했으면 합니다."

담우천의 눈초리가 휘어졌다. 장예추도 의아한 표정을

지으며 물었다.

"왜 그렇게 해야 합니까? 설마 제가 위험할 거라고 생각해서 그러신 건······."

"하하. 그럴 리가 있나? 누가 네 걱정을 하겠어? 상대방 걱정을 하면 또 몰라도."

강만리가 웃으며 말하자 화군악도 고개를 끄덕이며 동의했다.

"맞아요. 확실히 이 녀석, 진심으로 화를 내면 그 누구보다도 무서우니까요."

"그래. 내가 서로 이름을 바꿔 말하라고 했던 건 상대가 과연 장예추라는 존재에 대해서 얼마나 파악하고 있는지 알고 싶기 때문이야. 어쨌든 넌 황궁 사람들과 악연을 맺은 적이 없다고 했잖아? 즉, 반대로 생각하면 황궁 사람들도 너를 잘 모를 수가 있단 말이지."

강만리는 힐끗 태자비의 궁을 바라보며 말을 이었다.

"서로 이름을 바꿔 말한 후 저들의 반응을 지켜보면 그들이 네 이름만 아는 건지, 얼굴도 아는 건지 확인할 수가 있게 되니까. 그리고 어쩌면 왜 네가 저들의 표적이 되었는지도 알게 될 테니까."

장예추는 가만히 듣다가 고개를 끄덕였다.

"알겠습니다. 하지만 괜히 담 형님께 폐를 끼치는 건 아닌지 모르겠네요."

잠자코 있던 담우천이 불쑥 말했다.

"설마 내가 위험할 거라고 걱정하는 건 아니겠지?"

담우천은 장예추가 했던 말을 그대로 돌려주었다. 장예추는 머쓱한 표정을 지었다.

화군악은 그 모습이 통쾌했는지 껄껄 웃다가 문득 고개를 갸우뚱거리며 강만리에게 물었다.

"그런데 태자비께서 우리가 이름 바꿔치기를 한 걸 아시고 한 소리 하시면요? 감히 태자비를 속였다면서 화를 내시면 어떻게 하실 겁니까?"

강만리는 멀뚱한 표정을 지으며 말했다.

"응? 거기까지는 생각하지 않았는데?"

"에휴."

화군악이 한숨을 쉴 때였다. 때마침 환관이 궁을 빠져나왔다. 그는 놀란 눈으로 강만리 일행을 돌아보며 말했다.

"태자비께서 알현을 허락하셨습니다."

그 태자비가 지금 두 겹의 가림막 저편에 비스듬히 누워서 이쪽을 관찰하고 있었다.

바닥에 넙죽 엎드린 강만리는 천조감응진력을 최대한 끌어올려 태자비의 호흡과 목소리 체온과 땀, 미세한 움직임 등 그 모든 것을 관찰했다.

"흠, 그대가 장예추라 했나?"

무심한 듯 들려오는 목소리.

하지만 강만리의 극성의 경지에 오른 천조감응진력은 그 덤덤함으로 위장한 목소리 저 깊은 곳에 감춰진 증오와 분노와 살기를 읽어 냈다.

강만리는 살짝 당황했다. 담우천의 이야기대로였다. 다름 아닌 태자비가 장예추를 죽이려 하고 있었다.

'왜지? 왜 태자비께서? 목소리를 들어 보니 우리가 속이고 있다는 것도 모르는 눈치인데.'

즉, 태자비는 장예추의 얼굴도 모르고 있었다. 얼굴도 모르는 자를 저토록 증오하고 죽이려는 이유가 어디에 있을까.

바로 그때였다.

태자비 좌우에서 커다란 부채로 부채질하던 여인 중 한 명이 일순 허리를 숙여 태자비의 귀에 대고 낮은 목소리로 소곤거렸다.

천조감응진력으로 인해 태자비의 심장 박동까지 듣고 있던 강만리의 귀가 쫑긋거렸다. 궁녀의 음성은 개미 기어가는 소리처럼 아주 희미하고 낮은 목소리였지만, 강만리의 천조감응진력을 피할 수는 없었다.

"거짓말이옵니다, 마마."

여인은 그렇게 소곤거리고 있었다.

"장예추는 이십 대 중반의 청년, 아마도 저 화군악이나 담우천이라고 말한 두 청년 중 한 명일 겁니다."

'어라?'

대청 바닥에 이마를 찧고 있던 강만리의 얼굴에 의혹의 빛이 일렁거렸다.

'어떻게 궁녀가 그 사실을 알고 있지? 예추가 이십 대 중반이라는 건 알면서 얼굴을 모르는 이유는 또 뭐지?'

강만리가 그렇게 내심 고개를 갸우뚱거릴 때, 태자비의 지엄한 음성이 서늘하게 들려왔다.

"내게 감히 거짓을 고할 리는 없을 테고. 다시 한번 묻겠다. 그대들의 이름을 제대로 말하도록 하라."

조금 전보다 분노와 증오와 살기가 확실하게 묻어나는 목소리였다.

강만리는 절로 가슴이 두근거렸다.

'고맙다, 군악.'

조금 전 화군악이 경계하며 이야기했던 바로 그 상황에 직면한 것이다. 만약 화군악이 이야기를 꺼내지 않았더라면 아무리 강만리라 할지라도 크게 당황했을 것이다.

"황공하옵니다, 마마."

강만리는 재빨리 입을 열었다.

"실은 담우천과 장예추가 서로 이름을 바꿔 말했습니다만, 결코 마마를 속이려거나 나쁜 마음을 품고 그리한 건 아닙니다."

"호오, 이름을 바꿔 말했다면서 나를 속이려 하지 않았다는 건 무슨 말이지?"

"실은 황태자 전하께서 준비하신 유희(遊戲)였습니다."

일순 태자비의 호흡이 멈추는 게 느껴졌다.

"전하의 유희라고?"

"그렇습니다, 마마."

강만리는 속으로 '죄송합니다, 전하'라고 중얼거리면서 천천히 입을 열었다.

"전하께서는 태자비의 눈썰미가 매우 뛰어나 그 목소리만 듣고서도 거짓말을 하는지, 하지 않는지 정확하게 안다 하셨습니다. 그러면서 한 번 서로 이름을 바꿔 말해 보라고 말씀하셨지요. 그리고 놀랍게도 마마께서는 우리들의 거짓말을 단번에 파악하셨습니다."

강만리의 말이 끝났음에도 불구하고 태자비의 입이 열리지 않았다. 강만리는 두근두근한 가슴을 억누른 채 천조감응진력으로 태자비의 반응을 살폈다.

'호흡이 흩어졌고 맥박이 빨라졌다. 내가 지금 하는 말이 사실인지 아닌지 의아한 것보다, 전하께서 혹시 뭔가 의심하고 있는 게 있나 하는 부분에 더 신경을 곤두세우는 것 같다.'

거기까지 생각한 강만리는 서둘러 말을 이었다.

"또한 전하께서는 태자비께서 너무 많은 일을 하시는
건 아닐까, 그로 인해 건강을 해치는 건 아닐까 걱정하셨
습니다."

"그건 또 무슨 소리더냐?"

"그러니까 한밤중까지 환관이 궁에 머무를 정도로 태
자비께서 일을 많이 하신다는 의미가 아닐까 싶습니다."

'허억!'

태자비의 호흡이 멈추는 게 강만리의 천조감응진력에
포착되었다. 강만리는 침착하게 말을 이어 나갔다.

"전하께서는 언제나 마마의 건강과 안위만을 걱정하고
계십니다."

"으음."

태자비의 신음이 미약하게 흘러나왔다.

'늦은 시간까지 환관이 궁에 머무른 걸 알고 있다니, 설
마 그동안 나를 감시하고 있었던 건가?'

태자비는 혼란스러웠다. 그녀의 신경은 온통 황태자 주
완룡에게 집중되었다. 그녀는 잠시 생각하다가 가림막
저편의 강만리를 노려보며 입을 열었다.

"지금 한 말, 모두 사실이렷다?"

강만리는 태연하게 대답했다.

"누구보다다 사람들의 거짓말을 잘 파악하시는 마마께
어찌 다시 거짓말을 하겠습니까?"

"으음. 알겠다. 그만 물러가도록 하라."

태자비가 손을 저으며 말했다.

강만리를 비롯한 사람들이 자리에서 일어나 허리를 숙인 채 천천히 뒷걸음질을 쳤다.

그때였다.

"다들 고개를 들라."

태자비의 또 다른 명령이 떨어졌다.

'역시……'

강만리는 확신했다.

지금 고개를 들라는 건 장예추의 얼굴을 확인하겠다는 의미일 터, 즉 태자비는 지금껏 장예추의 얼굴을 모르고 있었다. 조금 전 궁녀가 아니었더라면 담우천을 장예추라고 인지했을 것이다.

네 명의 사내가 똑바로 서서 고개를 들어 가림막 저편을 바라보았다. 주렴과 비단 가림막으로 시야를 가린 저편, 비스듬히 누워 있는 여인의 날카로운 시선이 그 가림막을 뚫고 사내들, 특히 장예추의 얼굴을 예리하게 훑었다.

'도대체 왜……'

강만리가 태자비가 장예추에게 집착하는 이유에 대해서 궁금해할 때, 태자비는 한없이 냉랭한 목소리로 다시 한번 축객령을 내렸다.

"그만 나가 보도록 하라."

* * *

"설마 대사형께서 그리 말씀하신 건 아니겠죠?"

"당연하지. 궁에 들어서기 전에 네가 물어보지 않았느냐? 그때 궁리해 두었던 변명이다."

"그럼 마마께서 대사형에게 물어보면 어쩌시려고요?"

"그러니까 지금 바로 태자궁으로 달려가고 있지 않느냐? 전하와 입을 맞춰 두기 위해서 말이다."

"그럼 대사형께는 뭐라고 말씀하실 건데요? 설마 태자비를 의심하고 있다고……."

"말도 안 되는 소리. 그냥 조사의 일환이라고만 말할 생각이다. 뭐, 물론……."

"눈치 빠른 전하라면 형님이 태자비 마마를 의심하고 있는 걸 알아차리시겠지만요."

"그렇겠지. 젠장! 전하는 마마를 끔찍하게 사랑하시는데 말이지. 또 마마도 전하를 그렇게 사랑한다고 믿고 계시는데 말이야."

"부부 관계는 당사자들 이외에는 그 누구도 알지 못한다네. 아니, 불륜 같은 경우에는 당사자도 알지 못할 수 있겠지만."

"그럼 담 형님은 마마께서 남몰래 사내를 들여 통정(通情)하고 있다는 말씀……."

"쉿, 목소리 낮춰. 사람들 다 듣겠다. 아니, 도대체 지금 여기가 어딘지 알고서 그렇게 떠드는 거야?"

"아, 죄송합니다. 목소리가 좀 컸나 보네요. 너무 놀라서 말이죠."

"됐어. 어쨌든 속단하지 말고, 선입견 같은 것도 갖지 말도록. 저 사람이 수상하다고 생각하면 모든 증거와 단서들이 꼭 그 사람을 가리키는 것처럼 여겨지니까 말이지."

강만리는 그렇게 화군악들을 진정시키면서 서둘러 발걸음을 옮겼다. 태자궁이 코앞에 다가왔다.

3. 내가 죽였더냐?

강만리 일행이 떠난 후 태자비는 대청에 줄지어 서 있던 백화(百花)들을 모두 물렸다.

사내들이 함부로 활동하기 어려운 동궁과 서궁에는 따로 여인들로 구성된 감찰 경호 조직인 내관(內官)을 두고 있었다.

내관에는 이삼백 명의 무공이 뛰어난 여인들이 있었는

데, 그녀들 중 가장 뛰어난 고수들을 추려 백화(百花)라는 조직을 구성, 각 비빈과 공주의 호위를 맡게 했다.

태자비의 호위를 맡던 백화들이 대청을 떠나자 이제 남은 이는 오로지 태자비와 커다란 부채를 든 네 명의 궁녀뿐이었다.

태자비가 귀비탑에서 천천히 몸을 일으켜 앉았다. 그녀를 부축해 도와주던 궁녀 하나가 나지막한 목소리로 말했다.

"강만리는 혀가 길고 여러 가닥으로 갈라져서 거짓말과 사실을 섞어 능수능란하게 진상을 호도하고, 상대방을 현혹하는 재주가 있는 자입니다. 그러니 조금 전 그가 말한 모든 내용은 사실이 아닐 가능성이 더 큽니다."

또 다른 궁녀가 말을 받았다.

"잘 생각해 보면 어찌 전하께서 마마에게 그런 유희를 하라고 저자들을 보내셨겠습니까? 아마도 거짓말일 겁니다."

태자비가 고개를 갸웃거렸다.

"그렇다면 왜 서로 이름을 바꿔치기했겠느냐?"

"어쩌면 마마께서 장예추를 죽이려 한다는 걸 눈치챘을 수도 있습니다."

"가만히 이야기를 들어 보니 아무래도 어젯밤 지 환관의 행적이 드러난 모양입니다. 저들이 입궁한 후, 밤늦도록 환관이 본 궁에 머물렀던 건 어젯밤뿐이니까요."

궁녀의 추측에 일순 태자비의 얼굴이 딱딱하게 굳어졌
다.

"그렇다면 저들 중 누군가 어젯밤 이곳을 염탐했단 말
이더냐?"

"아무래도 그런 모양입니다. 어젯밤 저희가 준비한 황
천몽연이 실패로 돌아간 후 누군가 그 뒤를 쫓아온 것 같
습니다."

"허어! 또 실패를 했단 말이냐?"

태자비가 벌컥 화를 냈다.

"믿고 맡겨 달라고 하지 않았더냐? 그 사천당문인가 뭔
가 하는 곳에서 가지고 온 독으로 충분히 살해할 수 있다
고 하지 않았더냐?"

궁녀는 침착하게 말했다.

"어제는 의생들이 목적이었습니다. 그들부터 해치워야
만 장예추의 독살이 순조로워질 것이고, 또한 태자 전하
가 건강을 되찾지도 못할 테니까요."

"그런데 실패했다?"

"네. 사천당문의 여식까지 이곳에 온 줄은 미처 몰랐습
니다. 하지만 이제 그녀의 존재를 알게 된 이상, 두 번 다
시 실패는 하지 않을 겁니다."

"그 말 믿을 수 있겠느냐?"

"물론입니다, 마마."

"이번 일에 암영단(暗影團)의 목숨을 걸겠습니다. 또한 본가(本家)와 회(會)에서 뛰어난 원군을 차출할 것입니다."

"흥! 그대들의 목숨에는 관심 없다. 그 기생오라비 같은 자만 죽이면 된다. 물론 놈을 죽인다고 해서 그분이 살아 돌아오실 리는 없겠지만…… 아아, 내 이 깊고 깊은 한(恨)을, 원통함을 어찌 풀어야 한단 말이냐?"

태자비는 한탄하며 귀비탑에 쓰러졌다.

네 명의 궁녀들은 서로 눈짓을 하며 고개를 끄덕였다. 그녀들의 입가에 기이한 미소가 스며든 건, 물론 눈치 빠른 태자비도 전혀 알지 못하는 일이었다.

* * *

네 명의 궁녀는 하루 열두 시진 꼬박 태자비의 곁에 머무르며 그녀의 수발을 들며, 한편으로는 그녀의 주변을 경계하는 임무를 지니고 있었다.

그렇다고 해서 용변을 보거나 목욕하는 것처럼 개인적인 용무를 볼 시간이 아예 없는 건 아니었다.

네 명의 여인은 두 명씩 짝을 지어 교대로 개인적인 일을 처리했다. 그녀들은 식사를 하거나 잠을 자거나 목욕을 할 때는 물론 심지어 측간을 갈 때도 함께 움직였다.

때 이르게 찾아온 무더위는 갈수록 기승을 부렸다. 한낮의 더위는 화로 같았고, 해가 지고 어둠이 찾아와도 그 더위는 쉽게 가시지 않았다.

그 무더위 속에서 하루 종일 커다란 부채로 부채질을 하는 등 태자비의 수발을 들다 보면 아무리 무공의 고수라 할지라도 온몸이 땀에 흠뻑 젖는 건 어쩔 도리가 없었다.

강만리 일행이 찾아왔던 바로 그날 밤이었다.

마치 오줌이라도 지린 듯 속곳까지 흠뻑 젖은 그 불쾌한 기분을 떨쳐 내기 위해 두 명의 궁녀는 짝을 지어 욕조로 들어갔다.

그녀들은 훌훌 옷을 벗고 벌거벗은 채 커다란 나무 욕조 가득 채워진 시원한 물속으로 뛰어들었다.

깊고 깊은 우물물이었을까. 뼛속까지 시원해지는 차가움에 절로 기분이 유쾌해졌다.

"불쌍한 계집."

궁녀 하나가 미끈하고 탱탱한 상대의 몸에 물을 끼얹으며 까르르 웃었다.

"단주가 죽은 지가 몇 년인데 아직까지 그를 잊지 못하고 저리 청승을 떨까?"

"그만큼 단주를 사랑했던 거겠지."

욕조에 마주 앉아 물을 끼얹던 궁녀가 별 관심 없다는
투로 대답하자, 처음의 궁녀가 피식 웃으며 말했다.

"사랑은 무슨 사랑. 그저 단주의 그 뛰어난 능력에 빠
져 허우적거렸을 뿐인데."

"하기야 단주와 사랑을 나누게 되면 그 누구도 단주에
게서 헤어나지 못하니까."

"늪이야, 늪. 단주는."

"그래, 늪이야. 정욕(情欲)과 정사(情事)와 색정(色情)
으로 가득 찬 늪. 한 번 빠지면 영원히 헤어나지 못하는
늪."

"아아, 나도 단주가 죽기 전에 한 번쯤 품에 안겨 봤어
야 하는 건데."

"태자비처럼 늪에 빠져서 허우적거리려고?"

"설마. 네가 있는데 왜 내가 단주에게 빠지겠어?"

궁녀는 손을 뻗어 맞은편 궁녀의 젖꼭지를 매만지며 웃
었다.

"요망한 계집애 같으니라고."

그 애무가 싫지 않은 듯 맞은편 궁녀가 눈을 흘기며 웃
었다.

두 궁녀는 누가 먼저라고 할 것 없이 서로 입을 맞추고
는 한참이나 상대의 입술과 혀를 희롱하며 즐거움을 나
눴다. 이윽고 격한 숨을 토해 내며 입을 뗀 궁녀들은 다

시 몸에 찬물을 끼얹으며 대화를 나누기 시작했다.

"그나저나 아가씨께서 뒤쫓던 자들이 북경부에 나타나다니, 정말 깜짝 놀랐지 뭐야."

"덕분에 우리가 한 건 크게 올렸잖아? 저들이 이곳에 머문다는 정보를 본가에 보냈으니 말이지."

"원군들은 언제 온대?"

"글쎄. 닷새 안에는 오지 않을까?"

"가주께서 직접 오시려나?"

"모르지. 하지만 장예추가 소가주를 암살한 이상, 절대 가주께서 가만히 넘어가지 않으실 거야."

"그래서 아가씨도 저자들의 뒤를 쫓고 계신 거잖아."

"그야 그렇지."

"너무 신경 쓰지 말자, 우리. 놈들은 어쨌든 살아서는 이곳을 빠져나가지 못할 테니까."

"그럼 이제 네 몸에 더 신경 쓸까?"

궁녀가 매혹적으로 웃으며 상대방 궁녀의 아랫도리로 손을 가져갔다. 물방울이 일었다. 궁녀의 얼굴이 색정의 붉은빛으로 달아올랐다.

그때였다.

"아쉽군그래. 조금 더 지켜보고 싶었는데."

창밖에서 사내의 목소리가 들려왔다. 동시에 반쯤 열린 창을 통해 두 개의 그림자가 미끄러지듯 들어섰다.

일순 두 궁녀의 얼굴은 새파랗게 질리고 벌거벗은 몸은 딱딱하게 굳어졌다. 어느새 쏘아진 사내들의 지풍에 마혈을 제압당한 것이다. 그 바람에 상대의 아랫도리 깊숙한 곳을 애무하고 있던 손가락이 꽉 물려 빠지지 않았다.

"누가 예서 살아나가지 못한다고?"

사내, 낮에 듣기로는 성도부의 화군악이라 했던 사내가 유들유들하게 다가서며 말했다.

"자, 누군지는 모르겠지만 어쨌든 살아 나가지 못하기 전에 조금만 대화를 나눠 볼까, 우리? 아, 물론 시간이 된다면야 몸의 대화도 괜찮고."

"그만 좀 해라."

화군악과 함께 잠입한 사내, 장예추는 그렇게 화군악을 제지하고는 다시 궁녀들을 돌아보며 나지막한 목소리로 물었다.

"그래, 그 단주를 내가 죽였더냐?"

궁녀들은 사색이 된 채 커다란 나무 욕조 가까이 다가선 화군악과 장예추를 쳐다보았다.

(무림오적 42권에서 계속)

시한부 판정을 받은 검성, 마르틴 아달베르트
그는 가문을 되찾기 위해 필사적으로 싸웠다
하지만 돌아온 것은 배신

'다시 한번 기회가 주어진다면……'

다시 눈을 뜨자
7년 전의 과거로 돌아왔다

'이번에는 다르다. 배신자들을 축출하고 최강의 검사가 되겠다.'

뛰어난 재능과 시한부 목숨을 동시에 가진 저주
그를 극복하고 대륙 최강자로 거듭나기 위한
마르틴의 질주가 시작된다!

시한부
검성의 회귀

달필공자 판타지 장편소설

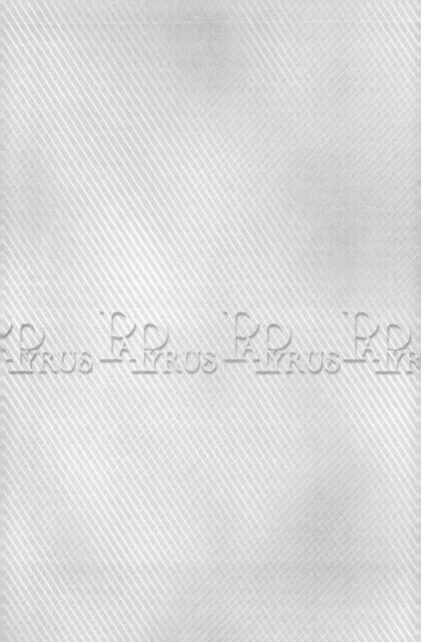